FOLLES DE DJANGO

#2   2014

DU MÊME AUTEUR

Romans

Le Tigre d'écume, Gallimard, 1981
(Prix de la Fondation Laurent-Vibert de Lourmarin)
Le Couturier de Zviska, Presses de la Renaissance, 1984
S'il pleut, il pleuvra, Presses de la Renaissance, 1987
(Prix de la Vocation)
Bill et Bela, Presses de la Renaissance, 1993
(Bourse Thyde Monnier de la SGDL)
Notre-Dame des Queens, Isoète, 1998
Mauve Haviland, Le Seuil, 2001
La fille qui hurle sur l'affiche, Gallimard, 2003
Horowitz et mon père, Fayard, 2006 et Le Livre de poche, 2007
(Prix Jean Freustié, Prix de la ville de Caen, Grand prix littéraire du Contentin, Prix Saint-Émilion)
Un fauteuil au bord du vide, Fayard, 2007 et Le Livre de poche, 2009
(Prix de la reine Mathilde, Prix François Mauriac de l'Académie française)
China et la grande fabrique, Fayard, 2008 et Le Livre de poche, 2010
(Prix Cœur de France de la ville de Limoges)
Céline's band, Robert Laffont, 2011
Le Parieur, Fayard, 2012

Nouvelles

Vingt-deux nuances de gris, Presses de la Renaissance, 1990

Essais

Escales de rêve, Rêves d'escales, Isoète, 1989 et 2001
Tube, Isoète, 2003
Milledgeville, sanctuaire des oiseaux et des fous : Flannery O'Connor, un autoportrait, Fayard, 2004

Alexis Salatko

FOLLES DE DJANGO

roman

ROBERT LAFFONT

© Éditions Robert Laffont, S. A., Paris, 2013
ISBN 978-2-221-13219-7

À celle qui ne me lira plus

« Ne soyez pas hostiles aux étrangers
de peur qu'ils ne soient des anges déguisés. »

YEATS

1.

Chuuut !

Le sol craque sous les pas des hommes armés de piques et de crochets.

Un freux s'envole. Une martre frissonne.

Le vent joue dans les branches de houx, faisant tintinnabuler leurs fruits rouges.

Django tient à peine sur ses jambes.

Son père ouvre la marche.

Ses oncles suivent.

Ils respirent fort.

Leur haleine blanche éclaire la nuit.

Django veut parler.

On lui met une main sur la goule.

Une main qui sent le tabac et la rouille.

Chuuut !

Ils sont là, tapis dans les haies, griffes rétractées.

Ils ont peur.

Le père n'a pas son pareil pour les débusquer.

Django veut se glisser sous sa cape.

Cet homme au cœur froid le repousse.

Sik ! Sik !

Il lève sa pique, ferre un niglo.

Les oncles l'imitent.

Les flèches s'abattent et transpercent les boules d'épines d'outre en outre.

Le sang gicle sur la neige.

Les chasseurs frappent et frappent sourdement.

Les niglos meurent en silence.

C'est ce qui surprend le plus l'enfant : ce déchaînement de violence muet, cette mort sans cri.

La petite troupe repart à travers la forêt.

Les ventres gargouillent.

La bise d'hiver cingle les joues.

Chacun porte une proie embrochée sur l'épaule.

Au bout de chaque museau brille une goutte de sang.

Un diamant de givre perle au bout de chaque piquant.

L'oreille de Django capte les plus légers frissons de cette nuit de carnage, le moindre flocon de bruit : la harpe des roseaux, le tambour d'une fuite de marcassins, la flûte d'une rivière coulant sous le gel, le basson d'un dur cumulus prêt à cracher sa grenaille blanche.

Ce soir, au campement, les tueurs du clair de lune feront bombance.

Les femmes danseront autour des flammes, au son des violons.

Négros fera tourbillonner bracelets et créoles.

Elle secouera sa chevelure d'ébène.

Elle passera la tête entre les jambes sans cesser de jongler avec trois oranges.

Elle remuera la langue.

Les hommes riront, la bouche pleine de viande.
Django voudra se serrer contre son père, s'endormir dans ses bras.
Il se fera rabrouer.
Le père aura trop bouffé, trop bu, trop fumé.
Il gagnera sa roulotte en titubant.
Il dégueulera dans un hoquet.
S'écroulera sur la couchette.
Se mettra à ronfler.

Django Reinhardt n'aura jamais les mots pour dire la fascination et l'effroi de ce soir d'avril 1913, à Liberchies, où il est né trois ans plus tôt au lieu-dit la Mare aux corbeaux.
Il n'aura que des notes.
À travers nombre de ses mélodies – des premières cantilènes médiévales et futuristes au frénétique « Tiger Rag » ou à l'hypnotique « Moonlight » – il restituera la beauté ensorcelante et la sauvagerie de cette orgie tzigane, son plus lointain souvenir.

2.

Le 27 juin 1916, sur la Somme, Gabriel Kuipers dit « l'Archange » se distingua une première fois en abattant un avion près de Péronne.

Il obtint une deuxième victoire homologuée, le 1er juillet, suivie par une troisième le 3 août.

Le 7 août, il abattit son deuxième Drachen à Manoncourt, ce qui lui valut sa citation à l'ordre de l'Armée.

Blessé à l'épaule en octobre de cette année meurtrière, il retourna au front pour rejoindre la célèbre escadrille des Cigognes et son mythique commandant Mathieu Tenant de la Tour.

En mai 1917, malgré son bras en écharpe, il descendit un biplace du côté de Berry-au-Bac.

Il fit trois nouvelles victimes entre le 9 mai et le 17 juin mais qui tombèrent trop loin dans les lignes allemandes pour être homologuées.

Une nouvelle citation à l'ordre de l'Armée indiquait « a abattu un des plus redoutables pilotes ennemis ». S'agissait-il du capitaine Feldberg, surnommé le Vautour rouge, qui avait fait tant de victimes chez les Français ?

Son ami Drelin grièvement blessé, tout comme Heurteaux, Guynemer disparu en mission, il eût fallu qu'il décrochât. Les Schleus étaient cuits...

Le 15 novembre, en voulant épingler un nouveau Drachen à son tableau de chasse, Gabriel Kuipers s'aventura hors de son aire habituelle. Son objectif : égaler le record de René Fonck et devenir l'as des as. Toucher l'avion ennemi n'était pas suffisant. Il fallait éliminer le pilote d'une frappe en pleine tête et donc s'approcher le plus près possible, avec le risque d'être l'arroseur arrosé. Il connaissait son affaire. Le temps se prêtait idéalement à ce genre d'exploit. Il allait attaquer en piqué avec le soleil dans le dos afin de rester invisible jusqu'au dernier moment. Il tirerait une seule rafale. Ce combat qui devait le faire entrer dans la légende, Gabriel l'avait rêvé mille fois.

Il perça la couverture nuageuse et fondit sur sa proie avec la soudaineté du rapace. Un éclat aveuglant l'éblouit et alors que les balles ennemies lui tranchaient la carotide, l'Archange comprit que le chasseur allemand avait installé un miroir à l'avant de son cockpit.

Son Spad se cabra et partit en torche au-dessus des terrils.

Il avait vingt-cinq ans.

3.

La première fois que Django était apparu à Maggie, il portait une chemise coquelicot. C'était à La Java ou au Ça Gaze, un cabaret de Belleville en 1927.

Maggie Kuipers avait alors une trentaine d'années et, depuis dix ans, elle était mariée à un fantôme. Avec sa peau laiteuse, ses yeux d'un bleu de porcelaine, à fleur de visage, ses cheveux blonds bouclés, son grand front, ses lèvres petites et ourlées, son sourire aristocratique et hautain, cette beauté nordique, froide en apparence, pouvait s'embraser de façon soudaine.

Elle habitait Bruxelles et ne ratait jamais une occasion de se rendre à Paris pour retrouver les ex-compères de son mari, ces pilotes de guerre qui, de retour sur le plancher des vaches, n'ayant plus de Boches à dégommer, s'ennuyaient ferme. Parmi ces têtes brûlées rendues au civil, l'acteur Albert Préjean – le Gabin des années 1920 – décoré lui aussi.

Trois millions de morts, des dizaines de milliers de gueules cassées, de gazés, de polytraumatisés...

Au sortir de la grande boucherie, les survivants avaient une furieuse envie de s'étourdir.

C'était l'époque des cabarets russes. Seulement, à la longue, le folklore tzigane finissait par les endormir. Les Cigognes avaient besoin d'un alcool plus fort. En tournant un film aux barrières de Paris, Préjean avait découvert les guinches et les musettes de la porte d'Italie. « Là, les gars, frisson garanti ! » Il y avait entraîné ses amis. Maggie avait insisté pour les suivre. Elle portait, épinglées au revers de sa veste, les médailles de l'Archange. Elle avait l'impression qu'il était là et veillait sur elle.

N'était-ce pas plutôt à La Chaumière, ce soir d'août 1927, que la rencontre avait eu lieu ? Django, dix-sept ans tout juste, jouait déjà du banjo-guitare d'une manière époustouflante. Avec un culot monstre, il s'imposait face à des musiciens chevronnés, des as du piano à bretelles, devant des parterres de petites gouapes qui venaient là moins pour se déhancher que pour s'étriper. D'ailleurs, Maggie avait bien failli y laisser ses abattis. En voulant féliciter Django justement. Une bagarre avait éclaté au moment où elle cherchait à l'aborder, mais, vif comme l'éclair, l'adolescent habitué à ce genre de rixe avait pris la poudre d'escampette et sans ses amis aviateurs en blouson matelassé, la veuve de guerre aurait fini en porte-manteau, un surin entre les omoplates.

Dans le taxi qui leur faisait traverser la ceinture de bouis-bouis entourant Paris, elle n'arrêtait pas de pérorer :

« Vous avez vu ce gosse, comme il balance la purée ! »

Une expression couramment utilisée par ses copains aviateurs et qui, appliquée à un batteur d'estrade, pouvait prêter à sourire.

« Mais tous les Gitans jouent comme lui, Maggie, ils ont ça dans le sang. Tiens l'autre jour, au bal des Carmes, après Narcisse l'accordéoniste aveugle, on a eu droit à Fernand, six ans, dans un numéro de scie musicale à faire grincer des dents. »

Sûre de son fait, Maggie n'en démordait pas :

« M'en fous de ton Fernand. Celui-ci est un vrai musicien, pas un singe savant, faut vraiment avoir les tympans bouchés pour ne pas voir ça ! »

Quelques jours plus tard, elle revenait seule dans le quartier chaud, à la recherche du petit prodige. Elle interrogea le patron de La Chaumière, lequel reconnut dans le portrait qu'elle brossa du gamin à la chemise coquelicot un jeune Manouche du nom de Django. Et où pouvait-on le trouver, cet animal ?

« Oh ! ça, dit le patron, il se laisse pas facilement attraper… Essayez Chez Berlot, à Rueil ou au Petit Balcon, rue Thierré, un repaire à bougnats, ou alors chez Le Père Pouyet, rue de Lappe. Sinon, y se pourrirait qu'il soit à la Rose Blanche, un musette de la porte de Clignancourt, près de l'octroi, juste en bordure de la zone roulottière. Un moules-frites où le vin blanc coule à flots et où ça guinche jusqu'à l'aube. Django et Nin-Nin, son frangin, y jouent parfois avec un certain Guérino et un bossu du nom de Lagardère. Ils peuvent aussi être au Ça Gaze à Belleville ou Chez Marteau, place des Alpes... Mais attention, ma bonne dame, c'est pas des endroits pour du beau linge comme vous, hein, le samedi soir, ça joue de la lame et le raisiné colle aux murs. »

Avec Albert Préjean, elle se mit à écumer les salles enfumées aux glaces piquées, aux parquets grinçants, aux tables bistro gravées de graffitis obscènes, mal éclairées par des ampoules rouges pendues au bout d'un fil. Le plus souvent, les musiciens jouaient sur une plateforme surélevée à laquelle on accédait par une échelle de meunier qu'on retirait pour les tenir à l'écart des bastons qui éclataient pour un oui ou pour un non.

Son obstination finit par payer. Maggie retrouva Django au Tourbillon, un casse-gambettes de la rue de Tanger. Le jeune homme – qui portait cette fois une chemise safran et un foulard rouge – offrait un festival éblouissant de contre-chants et de trémolos sur des rengaines comme « Ma régulière » ou « Paris Frisette », fox-trot et one-step bien connus, qu'il se faisait un malin plaisir de détourner de leur cours naturel en parasitant de ses cadences inouïes le travail de l'accordéoniste, furibard qu'on lui volât ainsi la vedette.

Le spectacle terminé, Maggie tenta d'établir le contact.

« Où as-tu appris à jouer comme ça ? C'est incroyable cette dextérité... Qui es-tu ? Comment t'appelles-tu ? »

Le môme qui parlait à peine français parvint pourtant à articuler :

« Jeannot Renard, banjoïste ! »

Maggie sourit. Jeannot lapin, elle connaissait, mais Renard, c'était plus rare. Soudain, une jeune romanichelle à la longue chevelure noire surgit, fit les poches au gamin et l'entraîna sans ménagement vers la sortie. On aurait dit un kidnapping.

Maggie n'était pas femme à se laisser marcher sur les pieds et son premier mouvement fut de se lancer à la poursuite de cette voleuse d'enfant.

Le bossu Lagardère l'en dissuada, expliquant que Django et son frère Joseph étaient des poches percées, raison pour laquelle Négros, enfin Laurence Reinhardt, leur mère, les interceptait à la sortie des concerts avant qu'ils aillent dilapider au jeu leur maigre cachet.

Pour Albert Préjean, le plus sage était que Maggie laissât tomber. Ces romanos venus de Belgique, de Pologne, de Hongrie qui campaient aux portes de Paris n'avaient pas la réputation d'être des tendres et, à trop vouloir les coller, Maggie allait finir par s'attirer de gros ennuis. Seulement voilà, elle s'était fourré dans la tête que Django était le nouveau Paganini et qu'elle devait faire quelque chose – quoi, elle ne savait pas – pour l'arracher aux bas-fonds. Préjean venait de signer pour un nouveau film d'Henri Diamant-Berger, le tournage démarrait dans trois jours en Roumanie, il proposa à Maggie de l'accompagner... À quoi bon aller chercher dans les Carpates ce qu'on pouvait trouver à deux jets de métro ?

Sans la moindre escorte cette fois, elle s'aventura dans les fortifs, ce dédale de rues case-nègres et de lopins horticoles qui s'étendait entre les remparts de la ville (ou ce qu'il en restait) et la banlieue. Là, le ciel était toujours bas, un crachin d'Armorique pissouillait sur les toitures en tôle et les pieds de tomates. Maggie pataugea dans des flaques d'eau croupie, se prit les pieds dans des ornières, enjamba un cadavre de bourricot au ventre gonflé, parvint sur le glacis où se dressait le camp manouche, gigantesque. Plus de cinq cents roulottes dételées étaient garées à la diable parmi les tas de déchets industriels aux émanations toxiques.

Dans cet immense dépotoir à ciel ouvert se côtoyaient chiffonniers, rétameurs, ferrailleurs, toute une population de claque-patins ravagés par la tuberculose et l'alcoolisme. Maggie s'était renseignée auprès de Guérino et Lagardère. Django, l'enfant aux doigts d'or, était le petit prince de ce cloaque. Avec son frère Joseph et quelques garnements dépenaillés, il faisait les quatre cents coups. Il aimait attirer l'attention, être admiré fût-ce pour des faits aussi peu glorieux que balancer des boulons d'acier sous les rails des tramways ou caillasser les taxis téméraires qui se fourvoyaient dans la zone. Django dirigeait la bande des foulards rouges. Il était le chef, mais un chef qui laissait à son cadet le soin de foncer dans le tas chaque fois qu'on les traitait de culs noirs, rabouins, rastaquouères. Animal à sang chaud, le bouillonnant Joseph rendait coup pour coup, juron pour juron. Il n'était jamais à court d'inspiration. « Fermez vos claque-merde, bande de baltringues et allez retrouver vos croupionnes de mères qui vous ont pissés par le derrière ! » Où allait-il chercher tout ça ? Django écoutait son frangin balancer. Il aimait le refrain des anathèmes, les répliques qui claquent, les réponses ordurières des galopins d'en face. Depuis sa montagne de détritus, à sage distance du champ de bataille que noyait la fumée des vieux pneus brûlant aux quatre coins de la zone, il n'en perdait pas une miette. Son oreille enregistrait les moindres nuances de cet opéra de quat'sous. Par-dessus tout, il y avait la grande rumeur de Paname. Joseph rappliquait sous une grêlée de pierres. Fallait se cavaler. Prendre ses jambes à son cou. Les frères Reinhardt avant même de savoir marcher avaient appris à courir. Question de survie dans la jungle de Choisy. Allez, cours, petit Manouche, cours. Sa mère le récupérait au bord de la syncope. Sa tachycardie durait. Dans la nuit de la roulotte, Django comptait ses pulsations. Chacune semblait être la dernière. Avait-il la prescience que sa vie allait ressembler à un contre-la-montre ? Il ne l'avait dit à personne, mais il savait depuis tout petit qu'il avait un problème entre les côtes. On pouvait avoir l'oreille absolue et l'oreillette mal foutue. Il se savait suspendu à un fil. Il avait trop observé

les araignées, autrefois, dans les marais de Liberchies, pour ne pas connaître la fragilité des vies.
Les techniques n'étaient pas encore abouties. Un
jour, des types comme lui vivraient centenaires.
Pas lui. Joseph le secouait. « Allez, dégrouille-toi. »
Après l'extinction des becs de gaz, c'était le bon
moment pour chaparder les boulets de charbon
sur les tombereaux à chevaux qui remontaient
cahin-caha la rue Auguste-Blanqui. Ils les reven-
daient le lendemain aux riverains.

Avec l'argent de leurs larcins, ils allaient au
cinéma sur les Grands Boulevards pour voir des
films de gangsters. En sortant des salles obscures,
Django se prenait pour Al Capone et aimait jouer
les gros bras dans les bistros de la porte des Lilas.
Ses héros avaient pour noms James Cagney, Edward
G. Robinson. Leur genre de beauté proche du
délit de faciès plaisait à l'enfant nomade, ostracisé
avant même d'être né. Comme ses idoles, il roulait
des mécaniques en crapotant des mégots ramassés
sur les trottoirs. Cette fois, Joseph ne faisait pas le
poids pour lui sauver la mise face à de vrais caïds.
Les deux frangins regagnaient leur campement le
nez marmité et les côtes bleuies. Négros leur filait
une nouvelle peignée et les enfermait dans la roulotte. Alors pour se défouler, ils ramassaient leur
poêle à frire (banjo-guitare) et en mettaient un
bon coup. C'était une tradition chez les Tziganes.
Ils jouaient à l'oreille, sans savoir déchiffrer les
notes. Les instruments à cordes n'avaient pas de
secret pour eux. Luth, cithare, mandoline. Jean-

Eugène Weiss, le père de Django, les rafistolait, ses sept oncles en jouaient dans les musettes au côté de maîtres à valser comme Poulette Castro et Gusti Malha, c'était là que Django avait appris, en écoutant caché sous les zincs des bistros, puis en imitant durant ses punitions. Ses extrasystoles auriculaires l'avaient repris. La musique qu'il créait, elle sortait bien de ce cœur à contretemps autant que de cette tête qui pensait à aller vite, à ne pas lambiner en route.

Toutes ces histoires qui traînaient sur les fortifs ravivèrent la fascination de Maggie pour le jeune Manouche. Sa décision était prise : elle irait voir les Reinhardt pour envisager entre personnes adultes et responsables un avenir stable au sauvageon. Préjean éclata de rire.

« Tu plaisantes, j'espère ?

— En ai-je l'air ?

— Tu as réfléchi où tu mettais les pieds ?

— Chez de pauvres gens qui ne sont pas forcément dénués d'intelligence.

— Comment comptes-tu procéder ? Toc, toc, je suis la bonne fée des roulottes, j'ai vu votre fiston l'autre soir à La Java, vous savez qu'il a du talent, vous l'avez compris, ça ? Avec du travail et de la volonté, il peut se faire engager dans un grand orchestre ?

— C'est à peu près ça.

— Ils vont t'envoyer sur les roses.

— Pourquoi ?

— Venir les traiter de misérables, passe encore, ils ont l'habitude, mais oser prononcer le mot travail, là, c'est l'injure suprême... Le travail, c'est bon pour les paysans, les gadjé. Chez les Manouches, l'homme n'a qu'à se laisser vivre.

— Quelque chose me dit que ce gosse en veut. Sinon, pourquoi prendrait-il d'assaut les estrades ?

— Il fait son malin, ils sont tous comme ça.

— Non, il a un irrésistible besoin d'être aimé, c'est tout à fait clair.

— Et ce qui l'est encore plus, c'est que sa mère l'exhibe. N'oublie pas que leurs ancêtres étaient des montreurs d'ours. Approchez bonnes gens et aboulez l'oseille ! Il faut voir comme elle lui fait les poches.

— Tu n'y es pas du tout, ce gamin est son Dieu, ça crève les yeux. Elle est prête à tout pour qu'il réussisse. »

Sourde aux avertissements d'Albert, Maggie se fit indiquer un soir la roulotte des Reinhardt. Le père était absent. Négros la reçut en vieux peignoir, la pipe au bec. Maggie attaqua bille en tête en déclarant que Django méritait mille fois mieux que les bals populaires... Elle pouvait lui faire rencontrer des gens qui l'aideraient à faire fructifier son talent. Tout en tirant sur sa bouffarde, Négros la jaugeait de son œil de corneille.

« Il a de l'oreille ? le p'tit, hein ? À cinquante mètres, il pourrait entendre un mulot pisser sur une boule de coton.

— Je ne suis pas là pour monter un spectacle de cirque.

— Django se plaît bien ici, avec nous. Nous sommes inséparables.

— Sauf lorsqu'il fugue pour aller boire et jouer dans les tripots. D'ailleurs, que fait-il en ce moment ? Ne me dites pas qu'il est à l'école.

— Il ne va pas tarder.

— Dans ce cas, je l'attends.

— Vous êtes une têtue.

— Je sais ce que je veux, et ce que je veux c'est Django. Personne ne joue comme lui.

— Ce qu'il sait, c'est nous qui le lui avons appris. Nous sommes tous musiciens. Notre orchestre est très apprécié, et pas seulement des apaches de Belleville. Nous avons nos entrées dans la haute... »

Maggie se taisait, inspectant le décor de la roulotte : ces petits objets, gris-gris, statuettes de la Vierge Marie collectés ici et là au cours des pérégrinations. Sans respirer l'opulence, l'intérieur était chaud, confortable. Un ventre protecteur. Négros ne mentait sûrement pas en affirmant que son fils s'y trouvait bien. Pour ces gens-là, le bonheur se résumait à un air d'harmonica, une pincée de tabac... Albert avait raison. À quoi bon insister ? Pourquoi ne leur fichait-elle pas la paix ?

« Les voilà ! » dit Négros en rallumant sa pipe.

Maggie n'avait rien entendu. Le vantail grinça et deux garçons aux bouilles de charbonnier pénétrèrent dans ce qu'il fallait bien appeler leur foyer.

Ils ne saluèrent pas la visiteuse. Ils n'avaient d'yeux que pour le jambon pendu auréolé de mouches. Django sortit son couteau et se coupa une tranche qu'il mangea la tête renversée en arrière tandis que son frangin sifflait un coup de gingin. S'étant restaurés, ils s'aspergèrent copieusement de vétiver, prirent leurs banjos et sans avoir prononcé une seule parole, regagnèrent la sortie.

« Attendez ! dit Négros. Madame est venue pour quelque chose. »

Joseph dévisagea l'étrangère avec une sorte de curiosité lubrique.

Maggie ne pipait mot, se laissant déshabiller du regard. Django s'approcha, intrigué par les médailles.

« C'est quoi ?

— Elles étaient à mon mari.

— Il faisait quoi ?

— Pilote de chasse.

— J'en ai vu au cinéma. Il a tué beaucoup d'avions ? »

Elle raconta.

Django se tenait debout, dans l'encadrement de la porte, réceptif aux prouesses de l'Archange. De toute évidence, il avait du goût pour le romanesque.

« C'était un héros ?

— Et toi, ça te plairait de devenir une vedette ? »

Une vague d'effronterie ondula sur son front.

« J'en suis déjà une.

27

— Je veux dire un vrai musicien, pas un petit frimeur… »

Django brisa cet interrogatoire. Elle l'emmerdait, celle-là. De quoi je me mêle. En plus, elle n'avait pas d'obus et lui les aimait plutôt girondes. Il allait franchir la porte lorsque Négros lui dit de raccompagner Madame.

« Je suis venue toute seule, je peux repartir de même ! dit Maggie.

— Vous feriez mieux pas, dit Négros. Avec cette purée de pois. Mais c'est vous qui savez ! »

Ils traversèrent les fortifs. Un brouillard à couper au couteau enveloppait le glacis. Des abois, des éclats de voix, le choc d'un marteau sur l'enclume leur parvenaient assourdis. Maggie se tenait serrée à Django qui marchait, banjo en bandoulière. Joseph avait disparu. Où l'emmenait-il ? Impossible de se repérer dans ce labyrinthe. Sans cesser d'avancer, elle lui demanda tout à trac s'il avait déjà couché avec des femmes comme elle. Malgré la violence du propos, le fier Manouche ne se démonta pas.

« J'vous boume ? Si c'est qu'ça, allongez les biffetons !

— Tu le fais pour l'argent ? Poussé par ta mère ? »

Il ne répondit pas.

Bluffait-il ? Pour le savoir, elle sortit des billets. Cinq qu'elle lui tendit en éventail. Il hésita, en saisit un, puis deux.

« C'est tout ? »

Il prit les trois qui restaient.

« Alors où qu'on le fait ?

— Où veux-tu ?...

— Ben, là...

— Là où ? Dans la boue ? »

Il se tenait devant elle, plus grand qu'elle, visiblement embarrassé.

« D'accord ! dit-il.

— Ce sont les cochons qui forniquent dans la boue. Avec l'argent, tu t'achèteras une chemise ou autre chose mais pas question d'aller le biberonner, d'accord ?

— D'accord !

— Tu dis d'accord mais tu t'en fous... »

Il se taisait.

« Dis que tu t'en fous...

— J'm'en fous... »

Il fourra les billets dans sa poche et s'enfonça dans la nuit.

4.

Maggie retourna en Belgique pour s'occuper de la succession de ses beaux-parents. Gabriel était fils unique et ils avaient complètement adopté leur belle-fille jusqu'à lui confier la direction de leur fabrique de jouets. Elle se spécialisa dans les maquettes d'avion, en souvenir de l'Archange. Chez les Kuipers, le travail était une vertu cardinale.

Cette femme de tête, très dure en affaires, ne se ménageait pas. Totalement dépourvue de fibre maternelle, elle avait confié sa fille aux religieuses. Cadeau de la Cigogne. Sauf que dans son cas, les Cigognes apportaient vraiment des bébés. Elle aurait seulement voulu que ce soit un garçon.

Elle passait ses semaines à la fabrique et les week-ends à Paris où elle continuait à fréquenter les cabarets de la rive gauche avec sa bande de chevaliers du ciel. Elle ne pouvait exister sans musique.

Préjean la présenta à Maurice Alexander, l'accordéoniste star de la Colombia. Maggie sauta sur l'occasion pour lui parler de Django. Elle était persuadée qu'au-delà des prouesses digitales, ce gamin avait un sens de l'harmonie et de la rythmique tout à fait exceptionnel.

« Ce romanichel est ton idée fixe, ma parole ! s'agaçait Préjean.

— Tu dis ça parce que tu es jaloux !

— Jaloux ! se rembrunissait-il. Mais de qui ? »

D'un rire malsonnant, il renvoyait au néant ce zingaro dont il feignait de ne pas avoir remarqué la beauté ensorcelante.

Plus grand que la moyenne des Manouches, Django avait le torse et les épaules d'un bateleur. D'une grande force physique développée par la vie au grand air, s'il avait été comédien, il aurait crevé l'écran. Albert Préjean, le jeune premier de l'époque, était mieux placé que quiconque pour le savoir. Et puis, quelle prestance, quel abattage ! Ses yeux en amande, sa fine moustache d'adolescent trop vite monté en graine faisaient déjà des ravages auprès de la gent féminine. Il plaisait et il le savait. Il aimait les chapeaux – les galures. Il les piquait à ses oncles. Pour changer d'apparence mais pas de peau. La sienne, cuivrée, lui convenait très bien. De quoi aurait-il eu honte ? Bien que misérable, il avait l'âme d'un grand seigneur. L'un de ses oncles lui avait raconté l'histoire d'Attila, ce sauvage éduqué à Rome qui vivait, mangeait, dormait à cheval, sans arrêt en mouvement, qui avait fini par conquérir l'Occident avant de mourir d'une épistaxis en plein coït.

À Montmartre, il traînait dans les bars avec les mauvais garçons. Il parlait un mélange de dialecte

gitan et d'argot chanté par Maurice Chevalier :
« Appelez ça comme vous voulez, moi j'm'en fous
/ Pourvu qu'au bistrot j'prenne un verre, un glass,
un drink, un godet ou un pot / Avec les mecs,
les aminches, les poteaux / Appelez ça comme
vous voulez, moi j'm'en fous / Tout c'que j'veux
c'est pas sucer des clous. » Il admirait surtout les
joueurs de billard. Leurs fringues, leurs pompes
crème et chocolat qu'il appelait des enveloppe-
nougats, leur style coulant, décontracté. Il s'ap-
pliquait à leur ressembler. Sa mère qui l'adulait
l'avait toujours encouragé à faire l'homme. Bien
qu'illettré, il avait une aisance naturelle et un tou-
pet monstre qui lui permettaient de donner le
change en toutes circonstances.

« Je ne doute pas qu'il sache y faire, dit Maggie,
mais ce qui m'intéresse, c'est sa dextérité et je
sais de quoi je parle, c'est tout !

— Vous êtes musicienne ? lui demanda Alexander.

— Je l'ai été. Premier prix de piano au Conservatoire.

— Sans blague ! dit Préjean, tu ne me l'avais
jamais dit.

— Tu ne me l'as jamais demandé.

— Et pourquoi avoir arrêté ? s'étonna Alexander.

— Pour raisons de santé…

— J'hésite à l'engager, dit Alexander. Un soir
il va venir et le lendemain il fera faux bond. »

Maggie ne cacha pas sa déconvenue. Elle se
retira tête basse, la mine chiffonnée.

C'était une femme, Maggie Kuipers, qu'on souffrait de décevoir.

« Attendez, dit Alexander, je peux toujours le prendre à l'essai. »

Une autre se serait retournée et folle de joie l'aurait embrassé sur les deux joue. Maggie lui dit simplement :

« Il était moins une. Vous avez failli passer pour un fameux crétin. »

Django embarqua à bord du Farman de 230 chevaux qui trimballait l'orchestre volant d'Alexander de bal en bal. Il avait insisté pour que son frère Joseph fût du voyage. Ainsi que Guérino. S'il n'avait pas toute sa petite tribu, il préférait jouer au bilboquet, le passe-temps favori des rois fainéants.

Au Salon des Familles, avenue de Saint-Mandé, se déroulait chaque samedi le bal des Auvergnats. Guérino, Alexander et les frères Reinhardt enflammaient la salle. Django ne dirigeait pas vraiment, il distribuait la musique. Un coup d'œil à Jojo, un autre à Guégué, il saisissait les notes et en faisait des gerbes, des bouquets qu'il jetait au public, lequel en redemandait.

Allez, allez, tournez !

Un bras autour des reins, ça repart et ça revient !

L'air s'alourdissait d'un mélange de sueur et d'ail.

Django frappait du talon et le rythme s'endiablait.

Une cavalière perdait sa chaussure et glissait sur le parquet.

Un apache partait en toupie en poussant des petits cris. L'orchestre accélérait la cadence comme pour rivaliser avec la grêle qui pilonnait la toiture en tôle.

Maggie était bluffée. Elle ignorait qu'on pût tirer de tels sons d'un banjo et surtout de telles mélodies. D'un seul coup, le vent du large, l'odeur des sous-bois, la fraîcheur des torrents, le goût des mûres sauvages emplissaient l'espace confiné... Django, en trois arpèges éblouissants, vous embarquait dans son univers enchanté.

Alexander le reconnaissait maintenant volontiers : ce môme était pourri de dons mais inconstant, totalement imprévisible, il prenait un malin plaisir à gâcher la fête.

Un soir il débordait d'entrain, le lendemain, il se levait avec l'envie de ne plus avoir envie. Il se refourrait au lit.

« C'est pas un poil qu'il a dans la main, c'est une queue de vache », pestait Alexander.

Maggie l'invitait à être patient.

Ils étaient nombreux, sur les fortifs, à racler du banjo, tous interchangeables, sauf Django qui restait inimitable...

5.

On n'est pas sérieux lorsqu'on a dix-sept ans...
Charmant et séducteur, Jeannot Renard préférait
courir la jupe que le cachet. Il rencontra Bella
qui vendait des fleurs artificielles à l'entrée du
cimetière de Montmartre. Elle lui plut, il l'enleva,
disparut avec elle une semaine, ce qui suffisait
pour qu'on les considérât unis par les liens du
mariage. On fit la nouba trois jours et trois nuits
et on offrit au jeune couple une roulotte.

Django réapparut triomphant à La Java pour la
plus grande joie des marlous à rouflaquettes, en
chandails roulés, la gapette plaquée sur l'oreille.

« Astique, moustique ! Du frotti-frotta, du serre-
moi fort mets-y nous la transe ! »

Entretemps, Maggie avait parlé de lui au fameux
chef d'orchestre anglais Jack Hylton. Chapeau
haut de forme, cigare au bec, escorté de demi-
mondaines en fourrure, le maestro vint écouter
le « phénomène ». À la fin du spectacle, Hylton,
conquis par le jeu du Manouche, lui proposa d'entrer dans sa formation pour faire du jazz, cette
musique virevoltante venue d'outre-Atlantique qui

débarquait en Angleterre. Pour Maggie, il s'agissait d'une offre providentielle. Django, lui, saisissait mal les enjeux. Qui c'était, ce « Il Tonne » qui parlait avec de la bouillie dans le bec ?

« Hylton, mais tu ne te rends pas compte ! Avec son orchestre, il donne sept cents concerts par an, soit plus de cent mille kilomètres de tournée, un disque vendu toutes les sept minutes... Tu imagines un peu ! »

Il allait falloir se donner du mal et Django ne se sentait pas trop chaud pour ce genre de travail à la chaîne. Il lui fallait un berlingot géant.

« Tu sais quoi, lui dit-elle, il va t'emmener en Amérique. »

Django écarquilla les yeux.

« À Hollywood !

— Parfaitement. Tu joueras devant les plus grandes stars.

— Tu veux dire devant Dorothy Lamour ?

— Elle sera au premier rang.

— Dis-lui que c'est d'accord.

— Va lui annoncer toi-même. »

Rassurée sur le sort de son protégé, Maggie regagna Bruxelles. La période des fêtes approchait et sa fabrique tournait à plein. Quelques semaines passèrent. Elle appela Jack Hylton au Kit-Kat Club, son cabaret londonien, et lui demanda des nouvelles de Django. Comment s'était-il fait au fog et au porridge ? Hylton lui apprit que Django n'avait jamais mis les pieds sur les bords de la Tamise.

Il devait signer son contrat et il s'était subitement volatilisé. Curieux garçon !

Intriguée, Maggie sauta dans un train et retourna au campement de la porte de Choisy.

« Django ? Oh, il doit traîner avec Jojo du côté de Barbès. »

Elle partit à sa recherche et finit par retrouver les frères Reinhardt qui jouaient dans une cour d'immeuble. Django avait un gros pansement autour de la main gauche et raclait son vieux banjo en grimaçant. Les passants lui jetaient la pièce par pitié. Que s'était-il passé ? Maggie interrogea les deux frères. Le teint cadavérique, brûlant de fièvre, Django était vraiment dans un triste état. Avec force soupirs, il raconta le drame survenu la nuit même de cette rencontre avec Jack Hylton qui devait le propulser vers les sommets. En l'espace de quelques heures, son destin avait basculé.

Le récit était confus, embrouillé. La dernière personne à avoir vu Django « valide », par cette froide nuit du 2 novembre 1928, était Maurice Alexander. Les deux hommes auraient rejoint à pied une station de taxis, rue de Lyon et l'accordéoniste aurait tenu à son poulain ce discours :

« Tu veux gagner tes galons, c'est normal mais, tu sais, mon p'tit gars, le jazz, on sait pas trop où ça peut vous mener. Notre musique à nous elle gambade bien. Le jazz se traîne encore à quatre pattes et rien ne dit qu'il marchera un jour. Tu prends des risques. Enfin les gens de ta race aiment l'aventure... Si ça ne gaze pas avec l'Angliche, tu seras toujours le bienvenu.

— Moi, j'étais sûr que ça allait gazer, dit Django, mais le père Alex, c'était un poteau, alors j'ai promis de revenir le voir en ami. J'étais si pressé d'annoncer la nouvelle à ma femme, j'en ai oublié mon banjo sur la banquette du taxi. Je me suis mis à courir à travers la zone, j'touchais plus terre, sans déconner, j'm'y croyais déjà, avec un smoking et des boutons de manchettes comme les caïds de ciné, les poches bourrées d'artiche, roulant en Américaine. J'avais l'impression de voler au-dessus des tas de ferraille, des lits-cages défoncés, des terriers à garennes. J'entendais grincer l'enseigne de la guinguette croulante, bouffée par la vigne vierge, où j'avais pincé mes premiers accords... J'revoyais défiler mon enfance à fond la gomme...

« J'ai grimpé dans la roulotte, la tête pleine d'Amérique et j'ai avancé à tâtons vers le lit... En cet instant, Maggie, j'étais l'homme le plus heureux de l'univers : j'allais jouer dans le grand orchestre de Jack Hylton et ma femme attendait un marmot. J'me suis emmêlé les nougats dans une couronne de fleurs artificielles dont la charrette était encombrée. Tirée de son sommeil, Bella a voulu m'éclairer. "C'est rien, t'inquiète, ma chérie, que j'lui fais j'ai tiré le grelot, on va être blindés !" Bella a allumé d'une main tremblante un reste de bougie qui lui a échappé. Les fleurs en celluloïd se sont embrasées d'un coup. Instantanément, j'ai été cerné par les flammes tandis que Bella, hurlante, la chevelure crépitante, réussissait à s'extraire du brasier.

— Ce furent ces cris qui me réveillèrent, enchaîna Joseph. Yak ! Yak ! Au feu, au feu, Django est dedans ! »

Bientôt, tout le campement fit cercle autour de la roulotte qui fumait et craquait de partout. Django, derrière un mur de feu, gisait à moitié asphyxié sur le plancher, la main gauche crispée sur une couverture qu'il avait empoignée pour se protéger. « Django ! gueulait Joseph. Sors de là, mon frère... » Rassemblant ses dernières forces, l'incarcéré réussit à se relever et traversant la fournaise, atteignit le vantail... Joseph l'empoigna vigoureusement et le tira à l'extérieur... Django roula sur le sol en se tordant de douleur, Joseph se jeta sur lui et étouffa avec un édredon les flammèches qui dévoraient son grand frère.

À l'aube, il ne restait plus de la roulotte qu'une pyramide de brandons incandescents dispersés par la bise glacée. Tout le monde parlait en même temps... Seul Baumgartner, le père de Bella, eut la présence d'esprit de conduire son gendre et sa fille à Lariboisière.

« C'est comme ça qu'on s'est tous retrouvés à l'hôpital des pauvres, poursuivit Django. Bella s'en tirait sans trop de bobos, à part qu'elle avait un crâne d'autruche. Ma main gauche, c'était plus rien qu'un moche bout de charbon. Et le côté droit avait morflé, de la hanche au genou, on aurait dit un pneu cramé. Devant les risques de gangrène, le doctari a dit qu'il valait mieux amputer. Ça m'a fichu un choc. Qu'est-ce qu'il racontait, ce chpouk ? Il a répété qu'il voulait me cisailler la patte. Y'avait pas le choix. Alors j'ai hurlé : "Foutons le camp d'ici !" Et c'est comme ça qu'on est tous retournés à Choisy. L'oncle Giligou a confectionné une espèce de chaise roulante pour me trimballer d'un bord à l'autre de la zone, c'est tout ce qu'on pouvait faire... J'avais plus qu'à aller pointer à l'agence d'infirmes du commandant Zacharias avec les manchots, aveugles, culs-de-jatte, paralytiques qu'on envoyait mendier dans Paris. »

Maggie était catastrophée. Elle se sentait coupable d'avoir bousillé la vie d'un artiste de génie en voulant lancer sa carrière.

Toutefois il n'était pas dans sa nature d'abdiquer. Juste après la guerre, elle avait croisé des cas bien plus désespérés et elle avait vu des miracles. Elle dit à Django qu'il fallait retourner à l'hôpital. Le Manouche refusa catégoriquement. « Veux pas qu'on me découpe en morceaux ! »

Les tziganes n'avaient aucune confiance en la médecine, mais ce n'était pas la seule raison pour laquelle ils avaient ramené Django au campement. La vérité est qu'il n'avait pas de papiers en règle et qu'il craignait de finir au commissariat. Maggie obtint qu'on emmène Django à l'hôpital Saint-Louis où elle connaissait un médecin qui fermerait les yeux sur ce genre d'entorse. Elle promit que l'impossible serait fait. Hélas, la science ne pouvait plus rien car ils avaient trop attendu, laissant l'infection se propager. Le pauvre garçon était condamné à marcher avec des béquilles. Maggie prit la blouse blanche en aparté :

« Le genou, on s'en fout, sauvez au moins les mains, c'est un grand musicien ! »

Le médecin décida de tenter le tout pour le tout dans sa clinique d'Alésia.

Le 23 janvier 1929, pour son dix-neuvième anniversaire, Django reçut une dose massive de chloroforme. Le risque de ne pas se réveiller était grand. Et encore plus grand celui de se retrouver infirme à vie.

Django reprit conscience pour le meilleur et pour le pire. Ses blessures avaient été drainées puis brûlées au nitrate d'argent afin que les chairs purulentes cicatrisent. La jambe avait pu échapper à la scie. Mais l'annulaire et l'auriculaire de sa main gauche étaient définitivement atrophiés et inertes.

Au campement, ce fut la désolation. Durant ses longues semaines de convalescence à Saint-Louis, Django plongea dans la neurasthénie. Sa mère passait ses journées à son chevet et l'entretenait dans l'illusion qu'il pourrait se resservir de ses doigts. Elle lui prenait la main gauche, la tournait et la retournait, cherchant désespérément à lire l'avenir dans cet écheveau de lignes coupées. La belle aventure s'arrêtait là. Son frère Joseph lui apporta une guitare de rééducation :

« Tiens, elle est légère, vas-y, enroule ta pogne pour voir !

— Qui l'a fabriquée ?

— C'est le père !

— Pourquoi y vient pas me voir ?

— Y peut pas tout faire ! »

Maggie lui rendit visite. Elle aussi l'encourageait à s'accrocher. Elle avait eu la polio, à quinze ans. Le virus s'était logé dans l'épaule, bloquant l'articulation. Elle n'avait qu'une idée en tête : disparaître. Mais on ne meurt pas comme ça. Il y a toujours quelque chose ou quelqu'un qui...

Django ne l'écoutait pas. Il n'avait perdu que deux doigts, mais c'était pire que si on lui avait coupé les balloches. Un castrat manuel. Tout lui faisait mal, la lumière du jour, ses oncles, ses cousins palabreurs, sa femme et son nourrisson hurleur, sa mère qui se lamentait, Maggie qui en avait assez fait. Ce qu'il aimait dans la vie, c'était jouer. Jouer au billard, jouer aux fléchettes, jouer du banjo, jouer du guisot. Adieu pamplemousses, mandarines, montgolfières, boutons de rose, pommes de Vénus, petits coussins de nuit. Il ne riait même plus aux saillies de Joseph voyant arriver l'infirmière aux gros roploplos : « Té, mate moi la crémière, y'a du monde au balcon ! » La partie s'arrêtait là dans cette chambre d'hosto avec vue sur le canal Saint-Martin.

Il congédia tout le monde.

Il voulait être seul.

6.

Maggie avait développé son entreprise, notamment en créant toute une gamme de marionnettes et d'automates musiciens qui marchaient très fort. Elle commençait à vendre à l'international. Elle avait acheté un appartement à Blankenberge, qu'on appelait aussi Bruxelles-Plage. Elle ne s'y rendit qu'une seule fois avec sa fille, juste pour en conclure qu'elle détestait les dimanches à la mer. Une bise mordante ululait à vous rendre sourdingue. « On va se déguiser en pirate, tu veux ? » La gamine hocha la tête. Avec sa coupe à la Jeanne d'Arc, il était très difficile de lui donner un sexe. Seule certitude, cette rouquine casse-cou était le portrait craché de son père. Maggie l'entraîna dans un bazar. Elle lui acheta des pantalons et un vilain bob, lui ficha un bandeau sur l'œil et la poussa sur le balcon avec sa longue-vue. Puis elle la ramena chez les sœurs en jurant de répéter l'opération. Le dimanche suivant, oublieuse de sa promesse, elle allait respirer l'air de Paris.

Jamais la Ville lumière n'avait autant brillé. De riches Américains venaient en France dépenser leurs dollars survalorisés par une inflation galopante. Dancings, boîtes de nuit champignonnaient un peu partout sur les deux rives de la Seine. De Montmartre à Montparnasse ce n'étaient que fêtes, raouts, tohu-bohus qui drainaient une population cosmopolite et bohème.

Dans le monde si versatile des riches noctambules, le musette était désormais obsolète et l'intelligentsia ne s'aventurait plus guère dans les guinches de la rue de Lappe, leur préférant les cabarets sélects où les jazzmen noirs restés en France depuis leur démobilisation en 1918 côtoyaient les musiciens slaves et tziganes chassés de Russie par la Révolution bolchevique.

Grâce à la poussée combinée de deux vents, l'un soufflant de New York et l'autre des Balkans, le jazz avait gonflé son plumage et pris de l'altitude. Finis, les patauds battements d'ailes. Au sein des orchestres, l'archaïque banjo avait fait place aux premières guitares, tandis que la contrebasse, plus mobile, supplantait le pesant tuba.

Dans cet art entièrement dominé par les pointures afro-américaines, quelques Français commençaient à faire parler d'eux, comme André Ekyan. Cet étudiant en chirurgie dentaire poussait du saxo à droite à gauche pour assurer sa « matérielle ». Son visage en lame de couteau et ses joues grêlées d'acné faisaient peine à voir mais le bonhomme avait du souffle, de l'entrain et de la volonté, trois qualités indispensables pour prétendre exister dans le cercle très fermé des pinceurs de bec. Il se produisait à La Croix du Sud, le lieu où il fallait être. Spectateurs assidus, Maggie et ses Cigognes ne boudaient pas leur plaisir.

Un soir de l'hiver 1932, deux ans déjà après l'accident de Django, alors que la fête battait son plein, un groupe d'individus aux faciès de bandits siciliens, l'œil d'onyx, la mèche batailleuse, investirent le cabaret et allèrent s'asseoir au premier rang, face à l'orchestre... Leur allure était si équivoque qu'on pouvait les prendre pour de mauvais garçons cherchant l'échauffourée. La tension était palpable dans la salle et sur l'estrade. Pourtant, les intrus ne faisaient rien de mal, ils ne bougeaient pas, ils écoutaient. À la fin du morceau, l'un d'eux s'approcha des musiciens et dans un sabir de brocanteur leur demanda de jouer un morceau... Il voulait les accompagner avec sa guitare. Maggie, assise au bar, ne prêta d'abord pas attention à la scène... Ce n'est qu'en entendant la guitare qu'elle sentit remuer son tabouret comme sous l'effet d'une secousse tellurique. Elle s'approcha de la scène et manqua se trouver mal en découvrant Django, non pas le bancroche vu pour la dernière fois la main gauche bandée sur un lit d'hôpital, mais un homme mûr, puissamment charpenté, qui éblouissait son auditoire par son jeu d'un magnétisme total.

La guitare était un peu la cousine pauvre, elle assurait la rythmique. Avec Django, c'est l'orchestre qui se trouvait relégué au second plan. Tous derrière, lui devant... Les notes haut perchées dégringolaient d'un coup pour remonter aussi sec. Et la guitare, cette souillon, apparaissait dans toute sa splendeur, débarrassée de sa peau d'âne.

Django aperçut Maggie, joua des épaules pour se frayer un passage jusqu'à elle, la souleva du sol et, pressant son menton broussailleux sur son front pommadé, lui donna quelque chose qui ressemblait à un baiser.

« Tu m'as manqué, Maggie !

— Toi aussi, mon Jean. Follement. »

Glotte durcie, les lombes parcourues de frissons, elle le suivit au bar.

« Laisse-moi t'admirer. Que tu es devenu fort ! »

Comment ce phénix avait-il pu renaître des cendres de sa roulotte ? Django passa rapidement sur les dix-huit mois où il s'était battu avec sa guitare de rééducation pour inventer une technique et faire de son handicap un atout... Il en avait salement bavé ! Après deux, trois verres de vin, il se confia :

« Tu vois, Maggie, au début, c'est comme s'il m'avait poussé une chique toute mâchouillée à la place du bras. Il a fallu que j'apprenne à jouer avec ce moignon. J'ai voulu reprendre le banjo, mais c'était trop dur. J'avais déjà joué de la guitare, une Ramirez à seize cordes, cadeau de mon oncle Clodorbe. Il a fallu repartir de zéro, c'était comme faire du vélo avec le pilon de Barbe Noire le pirate. À force de faire coulisser mes doigts morts, les cicatrices n'arrêtaient pas de se rouvrir, le sang poissait les cordes, mais je ne sentais rien car il arrive un moment où la douleur devient si sourde qu'on l'entend plus battre... D'abord je me suis fait de la bile, beaucoup de bile, tu sais, et puis je me suis fait de la corne et le monde s'est remis à danser autour de moi. Seulement c'était plus comme avant parce que la musique avait changé de peau, mais ça m'arrangeait plutôt vu que j'étais devenu un autre homme... »

Le jazz avait chaussé ses bottes de sept lieues et la métamorphose subie de force par Django l'avait rendu bizarrement plus véloce, de sorte qu'il réussissait à rattraper les rythmes qui couraient devant lui.

« Mais où étais-tu passé, Django ? lui demanda-t-elle. Je t'ai cherché partout !

— Je voulais voir la mer après toutes ces semaines d'immobilité, alors, avec Naguine, ma nouvelle copine – parce que avec Bella on s'était tout dit –, je suis descendu dans le Midi pour rejoindre Joseph et quelques cousins qui campaient à Toulon. »

Romanichels et marins en bordée fréquentaient le quartier de la Rode qui domine la rade des Mokos. Django et Joseph jouaient aux terrasses des cafés ou sur les marches des chapeaux rouges, joli nom qu'on donne là-bas aux bordels. Le peu qu'ils gagnaient, ils allaient le fumer aux tables de poker. Ils se nourrissaient du produit de leur pêche et dormaient dans des barques échouées sur le sable du Mourillon. Détachés du présent, oublieux du passé, incurieux du futur, ils s'étaient mis volontairement hors circuit et godillaient à la paresseuse sur un océan de jours cotonneux.

C'est généralement lorsqu'on n'attend plus rien que tout arrive. Émile Savitry serait le joker de Django Reinhardt. Ce peintre-photographe proche des surréalistes avait fréquenté la bohème de Montparnasse, puis il en avait eu marre de tous ces ivrognes passionnés d'exotisme et de grandes théories sur l'art, et il avait mis les voiles pour l'Océanie. Rentré au bercail, il s'était établi à Toulon, près du port, une chambre au-dessus du Café des Lions, où il avait entreposé ses souvenirs de voyages : un phonographe, quelques disques et un ukulélé dont il avait appris à jouer avec les indigènes maoris. Ce jour-là, un air de guitare le tira de sa sieste, il descendit mais trop tard... Les musiciens s'étaient envolés. Il se renseigna auprès du patron. Il s'agissait de deux gratteurs de rue, oh, rien de très reluisant, des merlifiches, des hirondelles de pont, des fileurs de comète, de la graine de mitard... Savitry voulut les retrouver car ces hommes de néant avaient séduit son oreille éclairée... On lui décrivit l'un des guitaristes : un infirme d'une diabolique habileté, il n'avait que trois doigts à la main gauche. Il rôdaillait avec sa bande de trèpeligours ici et là. Grâce à ce portrait-robot, Savitry mit très vite la main sur les frangins.

Il les invita chez lui et leur fit écouter les premiers disques de Louis Armstrong, Duke Ellington, Joe Venuti et Eddie Lang : « Hot Seven, Hot Five, Blue

Four, Washingtonians, Jungle Band... Hein, mes p'tits gars, qu'est-ce que vous dites de ça... Vous entendez les anges ? Vous les entendez, là... ouvrez grand vos portugaises... Cotton Club Orchestra. »

Django s'enfila un nouveau verre et avoua à Maggie :

« En écoutant Armstrong, j'suis tombé par terre !

— Tu veux dire dans les pommes ?

— *Ach moun*, ma sœur ! J'étais renversé ! »

Variante du syndrome de Stendhal ou crise d'hypoglycémie ? La vérité est que les deux frères n'avaient rien bouffé depuis trois jours. Savitry leur fit monter des sardines qu'ils engloutirent en ouvrant des gueules d'otarie. « Si vous cherchez du boulot, j'ai ce qu'il vous faut. » Les frères échangèrent un regard méfiant. Savitry insista pour les présenter à son ami, l'accordéoniste Louis Vola. Ce dernier avait été approché par un riche mécène qui recherchait un orchestre pour sa Boîte à Matelots, le dancing de l'hôtel Palm Beach de Cannes. Il faudrait seulement qu'ils soient déguisés en marins avec tricot rouge, pantalon à pont et espadrilles. « Tope là, mon frère ! » cria Django que la perspective de se travestir émoustillait.

Vola engagea aussitôt les frères Reinhardt. Ce que c'est que la vie... Ils étaient descendus à Toulon pour voir la mer et pêcher et ils avaient découvert le jazz. « De la boîte à asticots à la boîte à matelots, il n'y a qu'un pas ! » s'exclama Savitry en éclatant de rire. Il allait vite déchanter. Car Django Reinhardt, le champion de jazz, devint vite l'homme qui faisait jazzer sur la promenade des Anglais.

« La belle vie c'était. Un jour à la pêche, l'autre au billard. Y'a qu'à l'hôtel que ça manquait un peu de chic, alors je suis descendu au George-V en me faisant passer pour l'Aga Khan, je lui ressemble tellement qu'on m'a cru.

« Avec l'argent de mon premier cacheton, j'me suis payé une Dodge pour apprendre à conduire. Je roulais sans permis sur la Croisette ou grimpais dans la montagne pour pêcher la truite et achever d'anéantir chromes et suspension sur des sentiers de muletier. Ma poubelle ambulante, qu'ils disaient, les chasseurs du casino ! Ils pouvaient plus la voir en peinture, car en voulant me garer juste en face du Palm Beach, j'emboutissais le pare-chocs de la Rolls de devant et défonçais le museau de celle de derrière pour être à la place d'honneur. Ça faisait bien bidonner Savitry. Ce n'est pas guitariste que tu devrais faire, mais percussionniste ! Y'a une chose que j'ai apprise sur les fortifs : lorsqu'il n'y a plus de place, on s'en crée une et tant pis pour la casse ! Descendu de mon carrosse infernal avec mes cannes à pêche et ma nasse dégoulinante, j'inondais les tapis rouges du palace, on me suivait à la trace…

— Et tu en es fier ?

— Moi, j'avais rien demandé. N'avaient qu'à pas venir me chercher. Ils m'ont voulu, ils m'ont eu. »

Maggie souriait avec indulgence au récit de ses frasques. Devait-on y voir de la provocation ? Une revanche du petit rabouin sur les riches et les puissants ? Une façon de se moquer d'un monde qui s'était moqué de lui ? Même pas. C'était Django. Il vivait dans une bulle arc-en-ciel, se racontait des histoires inspirées de celles qu'il voyait au cinéma et se projetait sur un écran aux dimensions du monde réel.

Django était trop bon musicien pour qu'on le vire. Simplement, il fallait trouver le moyen de le mettre au pas, ce chameau-là. Vola eut l'idée de louer deux villas mitoyennes, il résiderait dans l'une, Django, Joseph et Naguine dans l'autre. Tope là, mon frère !

Au début tout se passa bien. Django se plia à la discipline. Et puis arriva une première roulotte, puis une seconde et bientôt la villa Beau Soleil fut envahie par une nuée de bohémiens. Dans le jardin, on avait dressé une grande table débordante de victuailles. Les « sans lieu », comme les nommaient les riverains, y faisaient ripaille à toute heure du jour et de la nuit, laissant traîner papiers gras et cadavres de bouteilles. Ils dormaient à la belle étoile sur les aiguilles de pin ou dans des hamacs tendus entre deux palmiers-dattiers. Ils escaladaient les murs des villas voisines pour les cambrioler. Django était le seul à aller bosser, ce qui n'était pas bien vu. Il avait beau expliquer à ses comparses que pour lui jouer n'était pas une corvée mais un plaisir, ça ne passait pas. Vola fut convoqué par le maire de Cannes, lequel, submergé de plaintes et de réclamations, le supplia de faire quelque chose pour mettre le holà à ces sordides bacchanales.

Heureusement la saison touchait à sa fin. Au Palm Beach se produisait une autre formation, celle de Jack Harris. Django vint l'écouter un soir, avec son petit sourire en coin. Fier-à-bras, il ricana : « Si c'est que ça, je peux faire aussi bien ! » À peine Harris et ses musiciens avaient-ils quitté la scène que Django et sa bande, jaillissant des coulisses, prirent l'estrade d'assaut selon une méthode qui avait fait ses preuves au temps des bals musettes. Alerté par le service d'ordre, le directeur voulut faire jeter les « putschistes » à la rue. Il se ravisa pourtant devant l'enthousiasme qu'ils suscitaient. Lui-même se serait bien laissé aller à un petit fox-trot. Django l'avait ensorcelé. Il en toucha mot le soir même à Léon Voltera, propriétaire de la Boîte à Matelots. L'autre se montra sceptique :

« Ces mecs-là jouent trop doux…

— Oui, mais les clients apprécient, voyez comme ils dansent ! On pourrait les prendre à l'essai dans La Boîte à Matelots two que vous comptez ouvrir à Paris.

— Faites-moi venir ce… peau noire, qu'on en cause entre quat'z-yeux. »

Une heure plus tard, Django retrouvait Voltera à la Baraka (entendez la salle de baccara). Chaque fois que le nabab avançait un chiffre, Django (qui ne savait pas compter) remontait le curseur. Voltera finit par céder à neuf cents francs la nuitée.

« C'est mon dernier mot.

— Mille, dit Django, et la bibine en plus ! »

Le 22 décembre 1932, Django Reinhardt débuta à La Boîte à Matelots two, rue Fontaine à Paris, avec son frère et Roger Chaput aux guitares, Marco au piano, Bart Curtis à la batterie, Jean-Jean au ténor, Zumolino au saxo et Léon Ferreri au violon. Le dandy Paul Rab avait soigné la déco en faisant venir de Cannes la barque, les filets et autres accessoires.

De l'avis de tous ceux qui l'avaient entendu se produire en costume marin, Django jouait encore mieux qu'avant son accident. Ce n'était pas seulement une question de technique mais de sensibilité… Il avait inventé une sonorité nouvelle et qui n'appartenait qu'à lui : les morceaux archiconnus paraissaient neufs, aiguisés une fois passés à la meule de ses doigts biscornus.

« Mais tu piges, Maggie, à la longue, c'est barbant de faire danser les gens. Moi, ce que je veux, c'est jouer ma propre musique sans avoir d'ordre à recevoir.

— Tu cherches à monter ton propre orchestre ?

— Y'a de ça, ma sœur ! »

Maggie s'enthousiasma pour cette idée. André Ekyan, moins. Il s'empressa de ramener Django à une équation plus pragmatique. Pour des musiciens français, vivre du jazz relevait de l'utopie. Mais Django n'avait cure de ce genre de considération. Chez les Manouches, l'idée même de « gagner sa vie » pour un homme était une ineptie.

« Non, moi, c'que j'rêve, c'est composer ! »

À La Croix du Sud, l'orchestre auquel appartenait Ekyan faisait surtout de la variété en reproduisant avec talent ce qui se pratiquait dans les cabarets branchés de Broadway. S'ils jouaient du jazz pur, comme le suggérait Django, tout le monde fuirait. Pour la plupart des gens, le jazz restait très lié à la danse et épargnait aux convives les frais de la conversation. Le public voulait se trémousser, point barre.

Même s'il ne cachait pas son admiration pour les trouvailles rythmiques de Django, Ekyan ne croyait pas trop à l'association que lui proposait ce dernier.

Du moins pas pour le moment.

7.

Elle voyait loin, la veuve de l'aviateur. Pas pour elle, pour Django qu'elle avait failli perdre. Gagner le cœur de Paris avant de conquérir celui de l'Europe, tel était son challenge. Cette musique-là avait la force de gravir les montagnes ! Mais pour cette difficile ascension, il fallait un sherpa. Maggie pensa à Jean Sablon qu'elle se rappelait avoir vu au Casino de Paris avec Mistinguett.

« Qui c'est ce mec ? demanda Django.

— Un grand seigneur, il te plaira ! »

Très inspiré de Bing Crosby, Sablon était un auteur-compositeur-interprète de classe internationale. Il inaugurait l'ère des crooners à micro en totale rupture avec les chanteurs à « bel organe » qui ravalaient l'orchestre au rang de bruiteur de fond. Son registre plus intimiste supposait qu'il s'entoure de musiciens de haut vol auxquels il faisait la fleur d'un solo. Pour Maggie, les deux hommes étaient faits pour s'entendre. Elle en parla à Ekyan qui connaissait bien Germaine, la sœur de Jean, chanteuse elle aussi. Ekyan jugea ce rapprochement incongru. Autant chercher à apparier un caniche royal et un ratier. Sans compter que le mode de vie tzigane était inconciliable avec les contraintes de la scène et la façon de jouer de Django tout en improvisations dérouterait les autres membres de l'orchestre. Déjà, lorsqu'il grattait du banjo dans les musettes, les accordéonistes excédés par ses embardées s'arrachaient les cheveux. Maggie insista pour que Sablon vienne au moins écouter Django à La Boîte à Matelots. Une invitation fut lancée via Germaine. Sablon passa un soir. Pas de chance, Django n'était pas là. Maggie entraîna le chanteur dans un repaire de buveurs d'absinthe du 13e arrondissement où les musiciens aimaient se retrouver à des heures indues pour « lâcher les chevaux », chose qu'ils ne pouvaient se permettre en public. Django était présent et se livrait à toutes sortes de sardanes et de flamencos avec un sens du rythme et une joie de jouer terriblement contagieux. Sablon accrocha aussitôt et proposa à Reinhardt de le prendre comme accompagnateur. Ce dernier considérait le crooner d'un regard facétieux, il observait sa moustache et ses mains aux ongles impeccablement taillés. Il lui demanda avant toutes choses de le présenter à son barbier et à sa manucure. Sablon éclata de rire. Tope là, mon frère !

À la première répétition, comme l'avait prédit Ekyan, Django arriva avec trois heures de retard, les habits dégoûtants. Sablon décida de mettre sa Ford V8 et son chauffeur personnel à la disposition de l'artiste zonard. Ainsi il pourrait arriver chaque jour avec des souliers rutilants – jusqu'alors Joseph devait le porter sur ses épaules pour franchir les sentiers fangeux des fortifs afin qu'il n'arrive pas crotté aux représentations. Désormais le carrosse de Sablon viendrait stationner au ras de la roulotte et messire Reinhardt, sapé comme un prince des *Mille et Une Nuits,* s'y glisserait sans que ses pieds touchent le sol. Cette anecdote donna à Sablon l'idée de remettre au goût du jour la chanson d'Yvette Guilbert : « Un fiacre allait trottinant, cahin, caha, hu, dia, hop, là / Un fiacre allait trottinant, jaune avec un cocher blanc. »

Exquis Jean Sablon. Cet homme secret et délicieux fut pour Django bien plus qu'un ami. Il le conseilla, le protégea tout au long de sa carrière en dents de scie.

Le fils du tueur des bois, l'enfant perdu des bidonvilles apprit beaucoup auprès du chanteur de charme qui lui fit faire ses premiers pas de musicien professionnel. Il l'accompagnait le soir au Bœuf sur le toit et en matinée au Rococo. Pour les enregistrements, ce fut plus délicat. Les gens de la Colombia voyaient d'un œil sceptique un musicien qui ne savait pas lire la musique. Sablon imposa Django. Puis il l'emmena en tournée avec lui sur la Côte d'Azur. Seule condition : Django voulait se déplacer dans sa propre caisse. Il avait repéré une occase en or et demanda à Sablon une avance pour l'acquérir. Mais l'occase était une épave. Une Chenard et Walcker ou plutôt sa relique étêtée avec quatre fauteuils en osier qui avait, paraît-il, glané une troisième place au 24 Heures du Mans avant de finir en cage à poules au fond d'une grange. Sablon accepta de céder au caprice de Django.

Sablon, Maggie et le reste de l'orchestre quittèrent Paris, traversèrent la France et arrivèrent dans un bel hôtel, sur les hauteurs de Nice, où régnait un froid sibérien. Un jour passa, puis deux, puis trois et toujours pas de Django. Ils étaient tous en train de dîner lorsque le groom de l'hôtel leur annonça qu'il y avait un monsieur dehors qui les demandait, il n'avait pas l'air bien... La température avoisinait les −10 °C. Sablon sortit, emmitouflé jusqu'aux oreilles, et fit une drôle de trombine en apercevant Django et Naguine dans la décapotable, transformés en statues de glace. Django articulait avec peine :

« Tu sais, on a eu du mal à trouver la route et puis on n'avait pas assez d'essence. Ma femme a essayé de vendre de la dentelle au pompiste mais il n'a rien voulu savoir, ce cochon-là. Alors on a trouvé un brave homme qui a accepté de nous tracter avec son pâturin, mais il faisait un froid de corbaque et ça m'ennuie de te dire ça, Jean, mais, je ne sais pas si je vais pouvoir jouer, je ne sens plus mes doigts... »

Après un bain bouillant, direction le théâtre de Nice où Joséphine Baker assurait la première partie.

Les ruraux étaient descendus en masse de leurs montagnes et le théâtre était plein comme un œuf. Django et Sablon se firent copieusement huer et siffler.

« Dehors les singes, on veut voir la négresse ! »

Django mit le holà à ce tollé en improvisant un solo. Joséphine Baker apparut sur scène, nue avec une ceinture en bananes et, portée par la musique du Manouche, exécuta une danse torride.

Il fut ensuite question d'aller se produire à Londres. Or Django ne possédait ni passeport ni carte d'identité. Et lorsqu'on lui parla de prendre le bateau, les poils se dressèrent sur ses avant-bras. Pourquoi cette peur panique ? « À cause des espions ! » répondit-il. Finalement Maggie arriva à le convaincre de monter dans un avion en lui racontant son propre baptême de l'air, le 22 février 1914.

L'Archange s'était offert de l'initier et il lui avait fait le coup de la cigogne. Tous les gars de l'escadrille le connaissaient. Une fois embarqué, le pilote demandait une faveur à sa passagère : « Si vous ne voulez pas m'embrasser, je nous abîme dans la mer. » Et pour bien montrer qu'il ne plaisantait pas, il enfonçait son manche à balai, l'avion piquait droit sur le cap Gris-Nez dans un bruit de moulin à café, la malheureuse voyait d'abord les nuages et puis, tout à coup, le ciel s'éclaircissait et la mer se rapprochait à vitesse vertigineuse. D'ordinaire, les filles ne mettaient pas longtemps à offrir leurs lèvres nauséeuses à l'acrobate, lequel, ayant obtenu gain de cause, tirait sur son manche généralement au ras des flots, ce qui ajoutait un frisson supplémentaire. Le problème avec Maggie est qu'elle n'avait pas cédé au chantage. Serrant les fesses, elle avait poussé l'Archange à bout et c'est lui qui avait craqué. En descendant du cockpit, elle était verte de trouille et lui de rage. Les copains de l'escadrille les voyant arriver avaient tout de suite compris que l'Archange était tombé sur un bec. Maggie n'avait pas seulement le cœur bien accroché, elle l'avait large. Elle connaissait suffisamment les hommes pour ménager leur orgueil et leur épargner l'humiliation. Pour éviter à Gabriel de perdre une seconde fois la face, elle s'en était tirée par une pirouette en affirmant que le baiser s'était prolongé plus que de raison et qu'ils avaient bien failli boire la tasse. L'Archange lui en avait été reconnaissant… Maggie avait eu le temps, durant cette descente en piqué, de tomber amoureuse. Alors que le Spad dégringolait, il s'était produit quelque chose qu'elle lui confia après coup, il l'avait fait monter au septième ciel. Non seulement elle n'était pas contre un nouveau vol mais, s'il lui faisait le coup de la panne, elle ne lui en voudrait pas du tout.

« Baptisée le 22 février, fiancée le 22 mars, mariée le 22 juin, dit-elle en attachant sa ceinture. À peine le temps de savourer notre lune de miel que mon mari s'envolait pour des loopings beaucoup moins romantiques. »

Django était blanc comme un linge mais il avait retrouvé sa malice.

« Quand on sera là-haut, j'aurai droit à ma dragée moi aussi ?

— Oui », promit-elle en lui prenant la main qu'il avait glacée.

En l'air, il composa les premières notes d'une mélodie qui allait faire le tour de la Terre : « Nuages ».

À Londres, ils firent un tabac à la BBC. Puis ils se produisirent au Monseigneur, un cabaret de Piccadilly, en présence du prince de Galles qui revint tous les soirs les applaudir.

« Jouer devant la famille royale d'Angleterre, c'est peut-être classe, décida Django, mais l'honneur suprême ce serait quand même d'être présenté au grand tsar de toutes les Russies...

— Django, c'est du passé tout ça... les Romanov ont été exterminés. Ils ont remplacé le tsar par le Petit Père des peuples... Un Géorgien du nom de Staline. C'est pas pareil... Je ne suis pas certaine qu'il aimerait ton style. Les tziganes, il s'en méfie... Ça ne veut pas dire que tu ne connaîtras jamais la consécration. »

Son regard grinça, il caressa sa moustache. Maggie l'entraîna aux Burlington Arcades pour se choisir un costume de scène. Dans les galeries, Django oublia vite sa déception. Il était redevenu le gamin attiré par tout ce qui brille. Il flasha sur une superbe paire de mocassins rouges.

« Tu ne vas tout de même pas mettre des mocassins rouges avec un smoking blanc ?

— Pourquoi ?

— Parce qu'à Buckingham, ça ne se fait pas.

— Alors je serai le premier. »

Il les essaya.

« Comment te sens-tu ?

— Comme un lapereau dans du foin. »

Il voulut les garder aux pieds.

À peine sorti, il fit jaillir de ses poches une corne à chaussure et une boîte de cirage qu'il avait barbotées.

Maggie s'en offusqua. Il lui tendit ses lèvres.

« Sagouin ! » dit-elle.

8.

Django avait trouvé sa voie, du moins le croyait-il. Ce job d'accompagnateur qui le faisait voyager, vivre dans de superbes palaces, rouler dans de grosses berlines, tourner la tête des filles et qui, en outre, payait cash, suffisait amplement à son bonheur. De retour à Paname, il se laissa bercer par ce succès mollasson.

Il joua et enregistra avec les peu glorieux Pierre Lord, Nina Rette et André Pasdoc dont la postérité retiendrait surtout qu'ils avaient signé un disque avec Django Reinhardt.

Pour une observatrice aussi experte que Maggie, Django perdait son temps et galvaudait son talent avec ces pousseurs de chansonnettes, gominés et ringards. À l'exception de Jean Sablon, tous les autres le tiraient vers le bas.

Maggie s'en remit à Émile Savitry, le photographe grâce auquel le Manouche avait pu écouter ses premiers disques de jazz à Toulon. Ce dernier, redevenu parisien, connaissait beaucoup de monde. Il réfléchit.

« Tu as déjà entendu parler du Hot Club de France ?

— Non.

— C'est une association créée par un petit groupe d'amateurs de jazz.

— Mais encore ?

— Son but est de favoriser l'émergence de cette musique en organisant dans des gymnases ou des salles de patronage des concerts où se produisent les meilleurs jazzmen américains. »

En 1932, Pierre Nourry et Charlie Delaunay, alors animateurs du Hot Club, se rendirent porte de Choisy, à l'initiative du peintre-photographe. Django les reçut dans sa roulotte et leur promit de venir jouer avec son frère.

Ils se retrouvèrent tous dans l'atelier de Savitry où, après quelques verres de muscat, on se prit à rêver de créer un orchestre de jazz français... Mais pour l'heure, il fallait bien vivre et ça passait encore par de la « gratte alimentaire » comme ces thés dansants à l'hôtel Claridge que Louis Vola était chargé d'animer.

On s'ennuyait ferme sous les lustres en cristal du Claridge, mais on était grassement payé. Django sacrifiait à ce genre d'extras soporifiques. Il y avait aussi un orchestre de tango qui martelait en alternance. Pendant que Vola et ses acolytes sortaient griller un clope, Django, lui, s'asseyait dans son petit coin, derrière un paravent et improvisait des airs sur sa guitare.

Un jour, un type avec une bonne bouille, plutôt jovial, vint s'asseoir à côté de lui, sortit un violon de son étui et se mit à jouer en rythme... Django considéra le nouveau venu avec un mélange d'étonnement et de curiosité.

« Où t'as appris à gazouiller comme ça, mon frère ?

— Ici et là, répondit l'autre. J'ai roulé ma bosse !

— C'est quoi ton nom ?

— Stéphane Grappelli.

— Jamais entendu parler. Moi c'est...

— Oui, toi tu es connu comme le loup blanc.

— Qui ?

— C'est une expression. »

Il y a quelque chose d'émouvant à imaginer avec le recul ces deux lionceaux se faire les griffes. Ils n'étaient pas encore usés ou muselés par le métier et la routine. Seule la passion de la musique et la camaraderie animaient ces deux hommes qui longtemps avaient bouffé de la vache enragée.

À l'époque où ils se sont connus, Stéphane était un joli garçon, grand, mince, élégant et même gracieux, très drôle en société. Ce côté riant cachait une face plus sombre. Comme Django, « Grappe » avait bien galéré.

Il avait démarré le violon à l'âge de dix ans sur un Stradivarius qu'un ami cordonnier avait offert à son père, latiniste distingué. Ce dernier, pour avoir la paix, le colla au Conservatoire où il décrocha un prix de solfège. Son père s'installa alors à Strasbourg et, parce que Stéphane voulait rester à Paris pour y poursuivre ses études, il dut bosser.

Il entra comme pianiste de fosse dans l'orchestre du Gaumont Théâtre sur les Grands Boulevards.

« On donnait *Le Miracle des loups* avec Charles Dullin, trois séances par jour, j'ai fini avec un torticolis. »

En 1924, à seize ans, il se lia d'amitié avec un guitariste qui lui proposa d'animer une saison à Wimereux. De retour du Boulonnais, il assura les matinées au Palais Rochechouart comme ripiane (second violon) mais, après deux semaines de bons et loyaux services, il se fit piquer son Stradivarius. N'osant pas l'avouer à son père (trop occupé à traduire les vers de Virgile), il fit le saute-ruisseau, d'abord chez une blanchisseuse, puis chez un marchand de fleurs et un chapelier jusqu'au jour où, en effectuant une course, il fut reconnu par le guitariste de Wimereux. Celui-ci lui avança cent francs pour acheter un nouveau violon et reprendre son ancienne activité d'accompagnateur de films muets. Le copain guitariste gagnait sa croûte en jouant dans les salles de restaurant : polkas, valses, piqués et barcarolles, pas de quoi se fouler l'épaule. Il lui arrivait aussi d'animer des réveillons à Étampes, Provins, Montargis. Ce qu'il nommait les soirées cotillons. Stéphane « cotillona » puis il se consacra aux cours de danse. Là, il rencontra le pianiste Stéphane Mougin qui lui proposa de venir jouer dans les bals d'étudiants. Stéphane s'y lia d'amitié avec tous ceux qui allaient donner ses lettres de noblesse au jazz français (Leo Vauchant, Philippe Brun, André Ekyan).

Grappelli racontait sa vie. Django l'écoutait en tirant sur sa cibiche. Après le Quartier latin, Philippe Brun fit engager Stéphane chez Gregor et ses Grégoriens. L'orchestre partit en tournée en Amérique latine puis sur la Côte d'Azur. Et ensuite retour à Paris à La Croix du Sud... Stéphane était présent le soir où le Manouche y avait fait sa réapparition ou plutôt était ressuscité. Il connaissait d'ailleurs Django bien avant, il l'avait croisé dans les cours d'immeubles du quartier Rochechouart à l'époque où il portait un gros pansement. Il avait été admiratif du mal qu'il se donnait avec son vieux banjo pour couvrir la clameur des rémouleurs, les cris des vitriers et le fracas des malles-poste.

« Je sais ce que c'est, moi aussi j'ai battu la mesure sur les pavés !

— Bon, mon frère, si on passait aux choses sérieuses ? Parce que pour le pia-pia, t'es sûrement le roi, mais voyons ce que tu sais faire avec tes boyaux de chat... »

Django demanda à Stéphane de jouer un petit riff qu'il avait composé. L'autre ne se fit pas prier. Ce qu'ils obtinrent en mêlant leurs deux sons leur plut bien.

Le lendemain et le surlendemain, ils remirent la sauce en coulisses durant la pause. Ils devinrent vite inséparables. Ils discutaient jazz et continuaient à improviser ensemble, à l'entracte, au Claridge ou, après les concerts, dans des arrière-salles de bistros. Ils jouaient des « trucs à eux » jusqu'au petit jour.

Par l'une de ces aurores survoltées, Django invita Stéphane et Maggie dans sa verdine. Il était cinq heures du matin. Naguine leur prépara une soupe à l'oignon, ils mangèrent, fumèrent, burent à la régalade, refirent le monde et se remirent à jouer... Ils interprétèrent « Honeysuckle Rose », création de Fats Waller, devenue l'un des standards du jazz les plus visités. Ils étaient heureux, presque amoureux, musicalement s'entend...

Durant les entractes, au Claridge, d'autres musiciens se joignirent à eux, comme Roger Chaput et Léon Vola (prince de l'accordéon devenu roi de la contrebasse) tandis que sur scène les brasseurs de tangos s'épuisaient à faire tourner les vieilles rombières.

Les séances devinrent de plus en plus fréquentes, ils se retrouvaient à L'Alsace, une brasserie de la rue Fontaine où les musiciens aimaient siffler un dernier guindal avant d'aller se coucher. On jouait pour le fun, sans programme établi, prenant tour à tour des classiques du jazz, des tubes du moment, des airs surprises qui jaillissaient comme ça de la guitare de Django.

9.

1933.

Pour des raisons de commodité plus que par goût personnel, Django quitta la zone roulottière et s'installa à Paris.

Il vivait dans une chambre d'hôtel à Montmartre avec sa femme et un chimpanzé qui était devenu leur mascotte.

Vivre entre quatre murs, que c'était dur. Il faisait couler le robinet du lavabo toute la nuit pour reproduire le murmure des rivières qui berçaient ses sommeils d'antan. Il avait toujours détesté ce qui arrêtait le regard, les haies, les clôtures, les murs d'enceinte. Que se cachait-il derrière ? Enfant, Joseph le portait sur ses épaules. Il fatiguait.

« Bon, descends maintenant.

— Non !

— Descends, j'te dis, t'es lourd !

— Pousse-moi plus. »

Alors Joseph poussait et Django se retrouvait sur une muraille, de la muraille il sautait dans un arbre et de l'arbre se laissait glisser sur une pelouse. Il était curieux des demeures en dur des gens riches, non pas pour les habiter mais pour voir comment ça faisait quand on était de l'autre bord. Et ça faisait quoi ? On étouffait. Maintenant qu'il avait vu, il voulait que Joseph l'aide à revenir du côté où l'on respire. Le monde se divisait en deux : la vie au grand air et ces gens qui se donnent de grands airs et s'inventent des prisons pour être soi-disant libres. Être riche, c'était être cerné de grilles, de règles, de la peur de ne plus être riche... Tout cela, le petit M'nouche le percevait... L'adulte en souffrait jusqu'à l'angoisse. Il aurait voulu s'en aller, fuir à toutes jambes cette chambre d'hôtel envahie de poissons d'argent, reprendre la route, les campements qui changent tout le temps, les rivières où l'on pêche des écrevisses, les prairies où l'on pionce, les landes et leurs mystères, les oreillers d'étoiles.

L'enfer, c'était dedans.

Vivre dedans.

Le ciel d'avril semblait passé à la toile émeri. L'air avait le coupant et la pureté de l'éther. Des plaques de givre encroûtaient les pavés. On tenait à peine sur ses pieds dans les ruelles pentues qui partaient du Sacré-Cœur et serpentaient vers le Bateau-Lavoir. Dans les jardins du Moulin de la Galette, les putes ragrafaient leurs lolotières. On aurait dit des toiles de Van Dongen. Django se hâtait vers le Café Boudon, au carrefour des rues Fontaine et Mansart. « Au Boudon, tout est bon », pouvait-on lire sur la porte. Il avait encore bouffé la consigne. Il s'était levé du genou gauche, celui qui avait failli être tranché. La froidure vespérale réveillait ses vieilles douleurs. Son frère Joseph heureusement était plus ponctuel. On allait encore attendre dix minutes et Joseph assurerait le show en se faisant passer pour Django. C'était déjà arrivé. Il fallait être spécialiste pour voir la supercherie.

Les deux frères n'avaient pourtant qu'un vague air de famille. Disons que le cadet était aussi fade et terne que l'aîné était étincelant. Tous deux portaient la moustache mais là, même chose, celle de Joseph l'apparentait à un cabaretier auvergnat alors que celle de Django rappelait Clark Gable ou Errol Flynn, les idoles de ses douze ans.

Django arriva enfin.

« Huit heures c'est huit heures, mon pote ! enrageait le taulier.

— Ça va ! Ça va ! grommela Django qui s'étala en montant sur la scène.

— Et en plus, il est saoul comme une vache ! »

Après la représentation, Joseph ne retint plus sa mauvaise humeur. Il en avait marre de faire le tampon.

« Des fois, Django, j'me demande si c'est pas une sauterelle que t'as dans la guitare ! »

Django lança une main par-dessus la tête et se fondit dans le brouillard givrant.

Il l'avait dit et répété, les thés dansants, la soupe qu'il servait au Boudon, ça l'emmerdait ! Ce qu'il voulait, nom de nom, c'était composer !

Les amis du Hot Club l'introduisirent au Stage B, rue du Montparnasse, un cabaret où se produisaient les meilleurs musiciens américains. Grappelli s'y rendait lui aussi pour se frotter à la crème des jazzmen.

Du jour au lendemain, Django, toujours coquet, devint élégant dans ses gestes et même raffiné.

« Tiens, c'est nouveau ça, constata Maggie, tu t'effaces devant les dames à présent, tu leur tiens la porte ?

— Tu sais quoi, Maggie, lui répondit Django, tu devrais m'apprendre des mots.

— Quels mots ?

— Des mots qui se disent, des mots comme il faut !

— Tu veux que je t'apprenne à parler un français plus châtié ?

— Qu'est-ce que c'est ?

— Si Madame veut bien me faire l'honneur d'accepter mon bras !

— Oui, c'est au petit poil, ça et j'aimerais bien aussi savoir écrire !

— Et pourquoi ferais-je mieux que le curé de Saint-Ouen qui n'a jamais réussi à t'inculquer trois sous d'alphabet ?

— Lui c'était une vraie charogne. Il me gueulait dessus sans arrêt. Il me traitait de verrue de la Sainte Vierge. »

Maggie était à la fois flattée de la confiance qu'il lui octroyait et inquiète de ce brutal changement de cap. Jusqu'à présent, Django cultivait le style

manouche, en en rajoutant même à l'occasion
– non par esprit de provocation mais par fierté
de sa race. À trop vouloir se civiliser, ne risquait-il
pas de perdre tout ce qui faisait son originalité
et son génie ?

Elle lui montra d'abord comment écrire son
nom.

« Ça sera mieux qu'une croix pour signer tes
contrats ! »

La leçon fut laborieuse et Django ne retint que
ses initiales. Ensuite, elle l'aida à enrichir son vocabulaire. L'occasion de faire plus ample connaissance car, en réalité, ils savaient très peu de choses
l'un de l'autre. Elle lui demanda de lui raconter
ses premières années, avant que toute la famille
échoue aux barrières de Paris. Django n'avait
jamais été très bavard là-dessus.

« Après Flach aux corbias...

— Tu veux dire la Mare aux corbeaux ?

— Oui, y'a eu la guerre... alors on a pris la
route... On est descendus dans le Midi et de là
on a pris un bateau pour Alger. »

Django gardait peu de souvenirs de cet exode
méditerranéen, excepté qu'il avait eu une peur
bleue des Arabes et de ce drôle de poignard qu'ils
portaient à la hanche.

« Un kriss.

— Ma mère m'a dit de marcher les yeux en
l'air, comme ça l'argent tomberait du ciel. Total,
j'me suis perdu dans un grand bric-à-brac.

— La casbah.

— À la fin de la guerre, on est rentrés en France, sur une mer démontée. Le bateau a bien failli rentrer dans un gros caillou.

— Un récif.

— Retour à la vie nomade. Les caravanes, les campements, les concerts que la famille donne ici et là, au gré de leurs vagabondages.

— Des pérégrinations.

— Mon père, il jouait du cymbalum. Ma sœur du piano démontable. Mes oncles du violon ou du banjo. Moi, je préférais jongler avec ma mère. J'aurais voulu être… tu sais, l'homme qui fait jaillir des colombes et disparaître des lapins.

— Un prestidigitateur.

— Voilà ! Il est quelle heure, Maggie ? »

C'était nouveau ça aussi. Ils avaient tout leur temps, le Stage B n'ouvrait qu'à vingt-deux heures. Mais Django avait déjà rejoint la porte, sapé comme un lord, parfumé comme une cocotte.

Quelques jours plus tard, Maggie perdit toutes ses illusions en apprenant la vérité. Au Stage B, Django s'était épris d'une blondinette aux yeux de laquelle il ne voulait pas passer pour un cornichon.

Quelque peu dépitée, elle rentra en Belgique et se consola en pensant à toutes les pépites dont Django allait pouvoir truffer son discours amoureux. Kriss, casbah, récif et prestidigitateur, on ne pouvait rêver mieux pour draguer une entraîneuse.

Avec toutes ces histoires, elle avait failli oublier la communion de sa fille. Cette dernière s'évanouit en plein banquet. On la transporta aux urgences et on diagnostiqua un coma éthylique. Sans qu'on la remarque, elle avait vidé les fonds de verre et gobé les cerises à l'eau-de-vie... Une manière de rappeler à sa mère fantôme qu'à Blankenberge la vie continuait.

10.

Django resta cinq mois au Stage B.

Les plus fameux musiciens de jazz s'y retrouvaient parmi lesquels Louis Armstrong, déjà une légende, et le saxophoniste ténor Coleman Hawkins surnommé le Faucon par ceux qui avaient eu le malheur de croiser sa route.

Armstrong habitait alors un appartement cosy rue de La Tour-d'Auvergne. Django était persuadé qu'en l'entendant jouer, Louis, son idole, l'engagerait aussi sec dans son orchestre et l'emmènerait aux USA. L'entrevue avait été soigneusement planifiée. On avait offert à Louis un disque de Jean Sablon « Le jour où je te vis » avec un solo de guitare du Manouche. En se faisant tirer l'oreille, Louis avait accepté un rendez-vous. Django s'y rendit le cœur battant, flanqué de Joseph, Maggie et Grappelli. Or, ce soir-là, Louis était à la bourre. Jean Cocteau l'attendait pour dîner et il devait se préparer. Il invita Django à faire vite. Ce dernier se lança au pied levé dans un interminable chorus tandis qu'Armstrong, la tête recouverte d'un bas de soie pour plaquer ses cheveux crépus, poursuivait ses ablutions dans la pièce voisine. Conscient de jouer son billet pour l'Amérique, Django se donna à fond. Son front, ses tempes ruisselaient. Au bout d'un moment, Maggie se leva et alla inspecter les lieux pour constater que ce bandit de Satchmo avait filé à l'anglaise.

La petite troupe redescendit mortifiée l'escalier de service.

« Il est pas réglo, cet aztèque ! s'emporta Django. En plus, il a la honte de sa race ! Se fiche un bas de bonne femme sur le cigare, tu imagines si ses frères l'apprenaient. Il a de la chance que j'sois pas une langue de pute ! »

Maggie jura qu'ils auraient leur revanche. Elle ambitionnait d'être au jazz ce que Gertrude Stein était à la littérature nord-américaine.

Elle fit des pieds et des mains pour que Préjean la présentât à Cocteau. Pour obtenir un rendez-vous avec le plus grand trompettiste de tous les temps, elle était prête à n'importe quoi.

« Je doute, dit Préjean, que Cocteau soit sensible à tes appas. En revanche, il n'est pas exclu qu'il te pique ton protégé. Méfie-toi. »

Quelques jours plus tard, Maggie fit prévenir Django que Cocteau et Armstrong l'attendaient au Brick Top. Il était trois heures du matin.

« Des clous, dit Django. J'irai pas. Il m'a déjà roulé dans la mélasse une fois.

— Il a dit que ce serait une faveur pour un vieux singe comme lui de jouer avec un jeune lion comme toi ! »

Django se rendit au cabaret. Sans échanger un mot, les deux hommes se jaugèrent. Ayant gonflé ses joues en caoutchouc, Louis lança une note que Django saisit au vol et en avant pour trois quarts d'heure de pure jubilation. Ils s'envoyaient des vannes par notes interposées. C'était à celui qui lancerait le meilleur calembour musical. Trompette et guitare rivalisaient d'humour. Quand ce fut fini, l'heureux créateur d'un monde merveilleux embrassa sur le front le gamin vif-argent et quitta le cabaret sur un tonitruant éclat de rire. Cocteau, qui avait assisté au duo, s'avoua confondu par la flamboyance de Django. Il lui demanda son adresse et comme Maggie expliquait que c'était un courant d'air, le poète le baptisa « fils du vent ». Plus tard, il le ferait apparaître dans *Les Enfants terribles*.

Grâce à Cocteau, Django allait devenir la coqueluche des aristos. Il était l'homme que la haute s'arrachait, le génie à l'état brut, le ludion facétieux, le primate aux doigts d'elfe. D'ailleurs, il aimait à raconter qu'un de ses ancêtres avait servi de modèle à la sculpture de l'homme de Neandertal qui trônait au Jardin des Plantes. Django se mit à attirer et à inspirer les artistes en vogue, peintres, écrivains et compositeurs, de Léon-Paul Fargue à Francis Poulenc. On aimait le croquer. Chacun y allait de sa petite gouache, de son instantané au fusain. Les Rothschild n'étaient pas les derniers à le convier à leur table. Anna de Noailles s'écriait : « Ce Gitan vaut un Goya ! »

Sur sa route, il avait croisé plus de gens hostiles aux romanichels que d'êtres attirés par la bohème et les bohémiens. Ils étaient même rares parmi les gadjé, ceux qui ne leur jetaient pas la pierre. Pour une fois qu'il était bien accepté, il ne boudait pas son plaisir, allant même jusqu'à se prêter à quelques pitreries comme mimer avec un tisonnier et le chat du logis les scènes de chasse aux niglos à Liberchies.

« Est-il drôle ! Est-il drôle ! » se pâmaient les rupins.

« Quelle chance vous avez, lui disait Anna de Noailles. Vous n'avez pas besoin de paraître, il vous suffit d'apparaître pour que tout s'enchante ! Nous, c'est bien différent, nous cachons derrière des masques et des postures notre absence de personnalité... Vous êtes né avec du style, cette chose que la plupart des gens passent leur vie à essayer d'acquérir. »

Après avoir bien diverti le haut du pavé, il regagnait la volière du Stage B où ne s'ébattaient pas que des moinillons. On y jouait de vingt-deux heures à quatre heures du matin sans débander pour seulement quarante francs la nuitée. La musique était bonne parce qu'on faisait ce qu'on voulait.

Le jazz est un monde cruel où ce sont les violents qui l'emportent. En ce milieu des années 1930, la scène parisienne fourmillait de jeunes talents, mais pour percer au milieu de ces gloires établies, il fallait en avoir de grosses et de bien accrochées.

Chacun cherchait à éjecter le voisin, à le dégoûter à jamais. Dans l'art de museler ses rivaux, Coleman Hawkins était passé maître. Il n'avait rien du bon copain qui vous tape sur l'épaule et vous invite à sa table. Django était prévenu. Jouter avec Hawk, c'était prendre le risque de subir une humiliation telle qu'elle vous réduisait au silence. Hawk était un prédateur qui prend du plaisir à tuer. Il aimait l'oseille et par-dessus tout l'oseille gagnée sur le cadavre de ses petits confrères… S'il sentait qu'un gars pouvait venir bouffer dans sa mangeoire, voire la lui barboter, il fondait sur lui toutes anches dehors et le déchiquetait de ses serres en laiton. Jusqu'à présent, il avait gagné tous ses duels sauf un, contre Lester Young. C'était il y a bien long-temps en Amérique, raison pour laquelle il chassait désormais en Europe… Un jour, il reviendrait au bercail pour manger le cerveau de Lester. Mais d'abord, il devait s'entraîner, progresser et, à son menu quotidien, le Faucon s'offrait des petits rats de cave. Django aurait dû avoir peur car, dans ce genre d'affrontement, la première fausse note pouvait être la dernière. À l'époque où il dirigeait la bande des foulards rouges depuis son tas de détri-tus, n'était-il pas terrifié par le grand loucheur, le chef de la bande rivale qui l'avait envoyé mordre la poussière d'un magistral bourre-pif ? Aujourd'hui, du haut de ses vingt-quatre printemps, non seule-ment Django ne tremblait plus, mais il était tout excité à l'idée de se mesurer à la terreur de Kansas City, oui, pressé d'entrer dans la cour des grands et d'en découdre. Sa guitare à la main, il ne craignait personne...

Et qui mangea qui ? Le combat n'eut pas lieu, faute de combattants. Ces deux-là se neutralisèrent aussitôt. Hawk tendit bien quelques pièges pour désarçonner le Manouche, mais celui-ci les déjoua avec une telle adresse et une telle insolence qu'il gagna aussitôt l'estime et le respect du géant carnassier.

En ce merveilleux automne 1934, Django et Hawkins prirent l'habitude de jouer tous les soirs ensemble, des heures entières sans montrer la moindre fatigue. Ils improvisaient sur « Sweet Sue », rigolaient sur « Everybody Knows », s'engueulaient sur « The Girl I Love ».

« Hey, Django, ne regrette pas l'orchestre de Jack Hylton, lui confia un soir Coleman. J'ai fait le job à Londres, il y a six ans. Ça valait pas tripette, comme tu dis. J'vais même te dire un truc, si ta charrette n'avait pas brûlé, t'aurais pourri sur pied.

— Oh, tu sais, j'ai pas l'habitude de pleurer sur le lait renversé. »

Un jour, Grappelli raconta à Django que c'était un baron allemand, un dénommé Sax, qui avait inventé le saxophone. Django en resta bouche bée.

« Qu'est-ce que c'est que cette embrouille ? L'inventeur du saxo, c'est Coleman Hawkins. Qui d'autre ? »

Le Faucon lui retournerait le compliment sur le quai de gare, avant de repartir aux États-Unis et de signer avec « Body and Soul » l'un des plus grands succès de l'histoire du jazz : « Avant Reinhardt, la guitare était un instrument à cordes. Sous ses doigts, c'est devenu un instrument de percussion. D'ailleurs, quand Django joue, on peut virer le batteur. »

11.

Sa blonde romance ayant fait long feu, Django retrouva l'hôtel Paradis, place Émile-Goudeau, sur les pentes de la Butte, où l'attendaient sa femme et son singe dont il refusait de se séparer malgré les lamentations du patron.

« Il est sale et il pue. Et hystérique par-dessus le marché. Un jour, il mange le savon, le lendemain le linoléum, il pisse et chie partout dès qu'on l'enferme tout seul. »

Django se contentait de hausser les épaules.

« Je joue une musique que seul mon singe comprend. Pourquoi me priverais-je de mon meilleur public ? »

Naguine, solidaire de son volage compagnon, en rajoutait une couche.

« Un homme qui n'aime pas les animaux, moi j'appelle ça une sale bête.

— Ne me forcez pas à prévenir les gendarmes.

— Qu'ils viennent. Ils pourront constater que je suis la seule fille de l'étage à ne pas vivre de mes charmes.

— Laisse tomber, Guiguine. C'est pas lui qui nous chasse, c'est nous qu'on se barre. »

Lorsqu'il quitta enfin l'hôtel, Django laissa une ardoise salée. Pour l'effacer, le patron s'empressa de faire visiter la chambre où il avait eu l'immense honneur d'héberger le plus grand guitariste du monde. Comme il n'aérait jamais, l'odeur d'animalerie prenait à la gorge. En voyant le papier peint lacéré, les touristes étaient bluffés... et payaient au prix fort le privilège de coucher dans le pucier du célèbre gitan !

Django et les siens (son frère, sa mère, sa femme et son singe) se replièrent avec armes et bagages chez Émile Savitry qui habitait une verrière d'artiste rue Daguerre. La famille ne mit pas longtemps à transformer son antre en capharnaüm.

Négros était la première debout. Elle partait à « la chine » avec cinq francs en poche. Une première halte au bistro de la rue Saint-Charles pour y prendre son café au lait, une seconde au bureau de tabac pour se recharger en gauloises, elle rentrait à des quatre heures de l'après-midi son vieux cabas débordant de cochonnailles et de boutanches. Savitry en restait médusé.

« Où as-tu dégoté ces merveilles ? En haut d'un mât de cocagne ?

— J'en connais, dans le Marais, qui crache pas sur ma dentelle. »

Rue Daguerre, Django était le pacha. Le matin, sa mère lui repassait ses pantalons au fer chaud pour qu'il n'ait pas froid aux jambes lorsqu'il se levait.

« La circulation sanguine, c'est le secret de la longitude.

— Tu veux dire de la longévité ?

— Je sais ce que je sais. »

Dans un baluchon, elle puisait toutes sortes de pommades et d'onguents pour les mains, des vernis durcisseurs spécialement adaptés aux ongles abîmés, des fumigations et autres poudres de perlimpinpin pour « vous dégager tout ça ».

Pas folle la guêpe ! Elle avait conscience que son fils préféré était la poule aux œufs d'or, le seul élément productif du groupe. Depuis l'incendie de la roulotte elle le surmaternait.

Très vite, ses cousins rappliquèrent avec leurs valises et leurs moujingues. Ils squattèrent la verrière. Méfiants au début, se demandant comment Django arrivait à vivre chez des « paysans », ils s'installèrent, s'agglutinèrent en grappes de plus en plus épaisses... Ils cassaient la croûte, se curaient les dents avec leur lardoire... Ensuite, tout ce beau monde se mettait à jouer. Ils faisaient de la musique pour eux, un truc qui ne ressemblait à rien d'autre avec Django à la baguette et ça pouvait durer des heures, des nuits... Ensuite, ils s'écroulaient de fatigue. Django occupait le grand lit et les autres campaient à ses pieds parmi les mégots et les os de poulet. Bientôt des ronflements sourds faisaient trembler sol et plafond. Savitry vivait embastillé dans sa soupente. Personne n'osait le déranger. Les romanichels avaient trop peur des trophées qu'il avait rapportés de ses voyages en Océanie. Les squelettes de requins phosphorescents pendus à des élastiques gigotaient au moindre vent coulis. Dans le noir, ces créatures faisaient leur petit effet. Savitry les appelait ses « épouvantails à romanos ». Il aimait raconter ses démêlés à Maggie chaque fois que celle-ci faisait un saut à Paris.

« Et les voisins ne protestent pas ?

— Non. Dans le quartier, on croise surtout des Russes blancs, chauffeurs de taxi pour la plupart. Ils aiment la musique tzigane qui leur rappelle leur jeunesse. »

12.

Entretemps, Charlie Delaunay était devenu secrétaire du Hot Club de France et il avait suivi avec beaucoup d'intérêt l'évolution de Django et Grappelli qui s'étaient dépucelés et dessalés au contact des grands Américains. Leur vieille idée de constituer un ensemble n'était plus aussi farfelue. Django, Stéphane, Vola et Chaput, c'était la bonne martingale, pour Delaunay. Un quartette qui tenait le cap. On commença donc à répéter. Tout le monde semblait y trouver son compte sauf Django qui faisait vaguement la tronche. Il marmonnait que la musique n'était pas sa seule passion dans la vie : il y avait aussi la pêche à la mouche. Stéphane, diplomate et qui apprenait à connaître son terrible « partner », joua les médiateurs :

« Dis-moi ce qui te tracasse.

— C'est bancal. Ça zingue de tous les côtés. C'est parti pour capoter !

— Qu'est-ce que tu proposes ?

— D'abord, qui c'est le chef ?

— Y'a pas de chef.

— Une carriole sans chauffeur, ça part dans le fossé.

— Nous sommes à tes ordres.

— J'ai pas d'ordres à donner et j'ai horreur qu'on me commande.

— Tu as peut-être des idées ?

— Oh ! pour ça, j'suis pas né fauché.

— Nous t'écoutons.

— Il faudrait une autre guitare derrière moi...

— J'ai compris, dit Chaput. Tu peux dire à Joseph de radiner sa fraise. Il fera la cinquième roue du carrosse ! »

Ainsi naquit le premier quintette à cordes du Hot Club de France.

Le rôle imparti à chacun au sein de la formation naissante n'est pas facile à déterminer tant les apports sont mélangés. Selon Maggie, Django possédait le *extra little something* – le petit quelque chose en plus. Grappe, sans rien ôter à son immense talent, se trouvait relégué au rang de brillant faire-valoir. Une chose était sûre : l'un et l'autre avaient un sacré caractère et leur rivalité n'avait pas fini de faire des étincelles.

« Un p'tit jet d'eau, une station de métro, entourée de bistrots : Pigalle ». Une photo datant de 1934 montre les cinq hommes à Pigalle posant devant la fameuse fontaine immortalisée par Georges Ulmer. Si Stéphane adopte les airs du patron du quintette, Django en est la quintessence. De toute évidence, aucun des deux ne veut céder sa place au centre de l'objectif. Les trois autres sont quasiment hors champ. Plus encore que le désinvolte Vola avec ses faux airs de Maurice Chevalier ou que Chaput, solide soutier habitué à naviguer sur des ondes mauvaises à boire, Joseph a toujours vécu dans l'ombre. Il a l'habit du passe-muraille. Sa fonction auprès du grand frère est sans équivoque : il est là pour tenir les étriers.

L'élégance de Grappelli, son sourire efféminé, ses rosissements de donzelle ne doivent pas faire oublier qu'il n'était pas un enfant de chœur. Ayant perdu sa mère très jeune, négligé par son père, il avait très vite dû se débrouiller seul. Il avait vu le jour à Lariboisière, l'hôpital des pauvres, là même où Django s'était fait rafistoler. Et comme Django, il avait connu l'école de la rue. Ce faux fragile savait se servir de ses poings… et compter sur ses doigts. Un vrai mur en affaires. D'aucuns le soupçonnaient même d'avarice. Mais lorsqu'on a connu la misère, on ne dépense pas à tort et à travers. Et puis qui d'autre aurait pu tempérer les extravagances du Manouche ? Stéphane était calculateur, Django laissait parler son génie. Stéphane était conservateur, Django cherchait toujours à sortir des sentiers battus, à conquérir d'autres galaxies. Stéphane était charmant mais le prince, c'était Django.

Sur la photo de 1934, Django porte une casquette à large bord, de celles que les marlous arborent le dimanche dans les guinguettes. Il a le pantalon haut perché. Il y a de l'arrogance et de l'espièglerie au fond de son œil noir. On sent qu'il est sûr de sa force. Stéphane est la distinction faite homme, jusque dans sa façon de tenir sa cigarette.

Django plaisantait en désignant ses phalanges suppliciées : « Grappelli et moi, on est comme mes deux doigts ! » Ce qui en disait long sur la nature torturée de leurs rapports.

« C'est quoi ton problème avec Grappe ? lui demanda Maggie.

— Oh ! Les Ritals, ça caquette comme des poules qui voudraient pondre des œufs d'autruche.

— Il n'a rien dit. C'est toi qui le cherches !

— Je le cherche pas. C'est lui qui m'a trouvé. »

Django, le dilettante, souffrait-il d'un complexe par rapport à Stéphane, « l'homme qui avait fait le Conservatoire » ? Son seul diplôme à lui était un premier prix de banjo au bal des Auvergnats du père Bouscatel. « Le Bouscatel Prize ! » galéjait-il en exhibant une feuille de papier à cigarette. Le fait d'être totalement illettré lui paraissait-il un handicap bien plus lourd à porter que celui de sa main en partie paralysée ?

L'avantage de savoir lire et écrire la musique aurait-il changé quelque chose à la donne et au résultat ? Sans culture musicale au sens strict, n'était-il pas le plus débordant de notes ? Un geyser perpétuel – et donc inexploitable car impossible à canaliser. Grappelli, toujours à l'affût, essayait tant bien que mal de recueillir l'or de cette corne d'abondance.

Les arrangements étaient faits ensemble. Django cherchait sans cesse des accords nouveaux sur sa guitare, même lorsqu'il n'y avait pas de répétitions. Il grattait en permanence ses cordes, la guitare était son outil de communication, son moyen d'expression, il ne correspondait, ne s'exprimait qu'avec elle, il jouait comme on parle.

Django fonça dans le jazz avec le même aplomb que s'il avait possédé un instrument a priori plus percutant tel que le saxo ou la trompette alors que Grappelli, de son propre aveu, en était encore à douter des performances du violon dès lors qu'il ne servait plus la grande musique. L'enthousiasme de son partenaire acheva de réduire en miettes ses réticences. Django n'avait pas froid aux yeux musicalement. Et au jeu, il ne doutait de rien, au point de perdre en une nuit ce qu'il avait empoché dans la semaine. Stéphane était plus circonspect. Il ne s'embarquait pas sans pare-battage. Il exigeait des bouées de sauvetage. La façon de gouverner de Django – et son système antiroulis – était la meilleure garantie que, même sur la mer en folie de sa créativité, la croisière serait belle.

13.

Mais quel avenir attendait ces bouillonnants jeunes gens ? Aucune compagnie de disques n'était prête à miser sur eux. La firme Odéon condescendit à leur accorder une audition, poussant même la mansuétude jusqu'à enregistrer quelques faces. Les musiciens s'engouffrèrent dans la caisse pourrie de Django – il en changeait comme de chemise – et foncèrent au studio. L'enregistrement fut des plus houleux, les ingénieurs du son ne comprenant rien à cette musique « tout de guingois ». Maggie en prit ombrage. « Ils ont de la cire dans les oreilles, ces abrutis ! » Elle menaça de quitter le studio. On eut toutes les peines du monde à contenir sa fureur. Finalement, deux tests furent enregistrés, deux merveilles de galvanoplastie dont dépendait le sort du quintette. On guetta fiévreusement les épreuves, lesquelles ne déçurent pas les musiciens qui s'entendaient jouer pour la première fois. Malheureusement le verdict glacé des pontes d'Odéon tomba comme une stalactite : « Trop moderne ! »

Maggie et Charlie Delaunay les exhortèrent à ne pas se décourager. Un artiste ne devait avoir qu'une seule devise : si ça résiste, insiste ! Ils étaient en avance sur leur temps, voilà tout, tôt ou tard ils finiraient par gagner.

La petite firme phonographique Ultraphone se dit prête à tenter l'aventure. À l'issue de délicates négociations, l'enregistrement eut lieu en décembre 1934. Par un matin de givre et de brouillard, Charlie, Maggie et le quintette pénétrèrent dans un immense et sombre entrepôt de l'avenue du Maine. Cette grande bâtisse en bois désaffectée, encombrée de consoles, souffleries, sommiers, tuyauterie, était une ancienne manufacture d'orgues. Les conditions d'enregistrement quasi moyenâgeuses et la qualité des instruments plus que médiocre laissaient augurer une nouvelle débâcle. Grappelli jouait sur une « boîte à cigares » et Django utilisait une casserole italienne aux cordes métalliques grossièrement fixées au talon de la caisse. Et pourtant, l'entreprise se solda par un franc succès. Alors qu'ils interprétaient « Dinah », l'un des deux lascars heurta un micro avec son outil de travail, un « pet » qui fut conservé, Django et Stéphane estimant qu'aucun autre essai n'égalerait en splendeur rythmique celui-là.

Dans ce morceau inaugural qui préfigure tout le travail à venir du quintette, aux deux chorus de guitare succèdent deux chorus de violon, comme pour équilibrer les forces en présence et ne pas faire de jaloux. La maîtrise technique de Django et Stéphane est déjà patente, mais ce qui transparaît surtout est leur extraordinaire complémentarité. De l'avis de tous ceux qui assistèrent à l'événement, les premiers pas de Reinhardt et Grappelli devant un micro annonçaient un grand coup de balai dans la jazzosphère.

Ayant touché leur pige, les cinq arsouilles, leurs instruments sous le bras, traînèrent longuement dans les petites rues derrière Montparnasse. Ils décompressaient, commentant leur exploit en se poussant du col.

« Tu as été grand !

— Non, toi, tu as été grand !

— Vous avez été tous grands parce que j'ai été gigantesque ! »

Seul Django semblait ailleurs. Arrivé boulevard Saint-Germain, il entra dans la boutique d'un chapelier et en ressortit quelques minutes plus tard coiffé d'un magnifique chapeau mou blanc de neige qui contrastait avec son teint havane, son col ouvert sans cravate et son costume tirebouchonné. Il venait de réaliser un rêve de gosse amateur de western en engloutissant tout son cachet dans l'achat d'un authentique Stetson.

La publication des premiers enregistrements du quintette fit sensation. Disquaires dévalisés, critiques aux anges. Jusqu'à présent le jazz était considéré en France comme un bruit de basse-cour. Avec le quintette et la présence rassurante des cordes, il entrait au salon.

Cependant Django ne semblait pas touché par ce succès inopiné qu'il avait pourtant provoqué. Il ne manifestait aucune joie. Maggie avait du mal à le sonder. La vie de groupe visiblement lui pesait. Au milieu des autres, il demeurait solitaire, lointain, impénétrable.

« T'es pas heureux, Django ?

— Moi, c'que j'vise, c'est autre chose.

— Quoi ? »

Mystérieux, il décrivait des arabesques avec les mains.

14.

Le 27 avril 1935, Maggie souffla ses quarante bougies à la Villa d'Este, rue Arsène-Houssaye, où Django jouait avec l'orchestre de Freddy Taylor. La mue qui s'était opérée sur le plan musical commençait à déteindre sur le comportement de Django. Ses mollets enflaient, il prenait facilement le melon.

Lorsque le chanteur de charme Jean Tranchant donna un récital à Pleyel et demanda le concours du quintette, Django piqua une grosse colère quand il comprit que le quintette devrait rester dans le noir sans bouger au moment où il chantait a capella les premières notes de « Attila, es-tu là ? ».

« Ma place est au centre dans un médaillon de lumière blanche ! »

Maggie une fois de plus tenta d'arrondir les angles. Elle expliqua à Tranchant que Django avait grandi aux portes des villes, à la périphérie, qu'il avait toujours été un marginal, un hors-lieu, ce qui expliquait son désir d'occuper le centre de l'espace. Tranchant l'envoya sur les roses. Alors elle tenta de fléchir Django. Elle venait de concevoir de nouveaux automates qui fonctionnaient au doigt et à l'œil.

« Tu n'as qu'à faire comme eux !

— Comment ça ?

— Tu obéis au signal.

— Je ne suis pas une poupée en bois. D'ailleurs, on va voir de quel bois je me chauffe.

— Écoute Django, le grand imprésario américain Irving Mills sera dans la salle, ce soir. Il a accepté de décaler de vingt-quatre heures son retour à New York pour écouter le Hot Club. S'il te plaît, ne fais pas d'histoires. »

Les projectionnistes éclairèrent malencontreusement l'orchestre au moment où Tranchant attaquait son « Attila » et le public ne put retenir son fou rire en découvrant les cinq zigues occupés qui à se curer les ongles, qui à se gratter le nez en attendant qu'on daigne les sortir de leur sommeil de marionnettes.

Irving Mills goûta peu la plaisanterie. Ces *Froggies* dont on lui avait chanté les louanges se fichaient du monde. Maggie en fut pour ses frais.

Django devint tatillon et mesquin. Il exigeait d'être logé dans des hôtels huit étoiles, de marcher sur des peaux de bête, de dormir sous des édredons en plume d'émeu. À l'inauguration du cabaret Les Nuits bleues, il ne daigna pas se déplacer, se trouvant très bien dans son lit. Qu'on s'arrange sans lui.

En vérité Django n'avait aucune notion de l'arithmétique. Sa méfiance envers les *doctaris* (les médecins) n'avait d'égal que sa frilosité vis-à-vis des *aidants* (les banquiers).

« Je suis mon meilleur coffre-fort », claironnait-il.

Il portait sur lui des liasses de billets serrés par un élastique qu'il dépensait aux tables de billard et de poker ou se faisait tout simplement détrousser par des pickpockets professionnels prompts à repérer ses costumes boursouflés... Généralement, lorsqu'il ne voulait pas d'un travail ou qu'il ne sentait pas un employeur, il avait tendance à rajouter des zéros (le seul chiffre qu'il savait vraiment manier). A contrario, il était prêt à descendre considérablement ses cachets si l'ambiance était bonne ou si des bouilles lui plaisaient. Sa seule vraie exigence était de pouvoir s'absenter de temps en temps, soit pour accompagner son copain Jean Sablon, soit pour aller faire de la roulotte et pêcher. Il poussait même la délicatesse jusqu'à donner des noms de doublures pour le remplacer lorsqu'il avait le mal de la route... Seul problème qui allait devenir de moins en moins facile à gérer à mesure que sa gloire allait crescendo : qui pouvait remplacer Django ?

15.

Après le coup de foudre des débuts, Stéphane et Django se découvraient progressivement très différents, voire opposés. Sans leur incomparable communion musicale, ils auraient vite rompu tout lien.

Entre les deux hommes, l'orage couvait en permanence. Schéma assez fréquent dans les groupes lorsque deux grosses personnalités doivent cohabiter.

Maggie minimisait la fracture, ramenant ces bisbilles à de simples peccadilles. Elle donnait néanmoins toujours raison à Django.

« C'est toi qui devrais montrer l'exemple, disait-elle à Stéphane réputé pour être fin psychologue. Pourquoi ne t'assieds-tu pas sur ces enfantillages ?

— En d'autres termes, je n'ai qu'à m'écraser...

— Dans un couple il faut un fou et il faut un sage.

— Je n'aime pas les couples.

— Tu ferais quoi sans lui ?

— Et lui sans moi ? »

Heureusement, ils ne passaient pas leur vie ensemble. Les membres du quintette travaillaient dans des établissements différents et, pour réunir les cinq musiciens, il fallait des circonstances exceptionnelles comme une séance d'enregistrement ou une émission radiophonique à destination de l'étranger.

Il n'y avait pas qu'avec Grappelli que des tensions se faisaient jour. Django dissimulait mal son agacement envers ses proches constamment collés à ses basques.

« Ces propres-à-rien, s'égosillait-il, ces parasites. »

Il se retrouvait à la tête d'une petite fabrique de jazz dont il était le seul élément vraiment performant.

« Je suis un os à moelle bien dodu et ils sont tous là à vouloir me sucer... »

Il méprisait également les musiciens qui l'accompagnaient, autant de mouches à viande, d'asticots, de pique-bœufs. Il ne leur pardonnait aucun écart et se reprochait de trop les payer. Il s'en ouvrait à Maggie qui s'y connaissait en matière de gestion de personnel :

« Toi, Maggie, quand un ouvrier tire au flanc, tu le vires, y'a pas le choix !

— Non, je lui donne plus de poids dans l'équipe, plus de responsabilités. Je l'intéresse aux bénéfices.

— Quoi ? Tu voudrais que j'engraisse encore ces pov' types, ces cafouilleux... T'es malade ! »

Lorsqu'il était bien énervé, elle l'emmenait au ciné. Il écoutait religieusement. Les tourtereaux se léchaient la poire, les gosses chahutaient, les marlous fumaient et se faisaient avoiner tandis que lui était dans le film, en osmose, avec les hommes des hautes plaines ou les bandits de Chicago. « Mains en l'air, que personne ne bouge ! » Alors chacun retenait son souffle. En sortant, il confiait à Maggie vouloir faire pareil...

« À partir de maintenant, dès que je parais sur scène, les cœurs doivent s'arrêter de battre... Je vais mettre le public au pas, moi, tu vas voir ça, je vais faire une musique pour que personne ne bouge... »

Sa guitare serait son *gun*.

« Mais Django, ta musique c'est tout le contraire : elle donne envie de remuer, elle libère les corps...

— Pourquoi tu me discutes tout le temps ? »

Son grand souffre-douleur était son frère Joseph, lequel en avait marre de faire le tampon avec les producteurs de spectacle ou les propriétaires de cabaret quand Django franchissait la ligne rouge.

Maggie suivait tout cela de très près. En ce qui concernait les prises de bec entre les deux frères, elle n'était pas trop inquiète. Ils s'étaient toujours frotté le museau. Comme disait Négros : « Ça pète et ça repart. » Avec Grappelli, c'était plus ennuyeux. Stéphane admirait Django mais enrageait que la réciproque ne fût pas vraie. Les seuls qui en imposaient au Manouche s'appelaient Duke Ellington et Louis Armstrong. Le petit Rital n'était à ses yeux qu'un associé minoritaire. Il savait le manœuvrer comme il savait manœuvrer sa mère, son frère, sa femme et Maggie. Sous ses dehors d'homme des cavernes, il cachait une âme de stratège. Il ronronnait, Django, pour mieux vous croquer. Lorsqu'il se caressait la moustache, les souris pouvaient se faire du souci... Mais gare à ne pas forcer sa chance.

À partir de 1936, le quintette commença à enregistrer pour des marques étrangères. Puis Polydor organisa une session dont les disques sortirent sous le nom de « Stéphane Grappelli Hot Four ». Django, loin d'en être vexé, s'en amusa. Il calcula que si c'était mauvais, tout l'insuccès en reviendrait à son vaniteux confrère. Il joua mollement, ne fit aucun effort et le disque ne resta pas dans les annales.

Enfin, le quintette, libéré de son exclusivité avec Ultraphone enregistra pour la compagnie du Gramophone. Les déplacements se firent plus nombreux. Après une malheureuse équipée nancéenne, ce fut la rocambolesque tournée barcelonaise, en plein Front populaire. Les chapeaux voltigeaient sur scène, les ollé fusaient comme pour une feria, c'était « furioso », dirait plus tard Grappelli. Mais au moment de rentrer, ils réalisèrent que l'organisateur s'était fait la malle avec la recette. N'ayant plus un sou vaillant, les musiciens venus en avion durent repartir en train avec pour toute nourriture un maigre saucisson de Catalogne.

16.

L'été 1936 est à marquer d'une pierre blanche dans la chronique des Kuipers. Maggie emmena Jenny à Saint-Jean-de-Luz où Django avait accepté de se produire. L'occasion était trop belle pour cette mère courant d'air de reconquérir le cœur de sa fille en lui présentant l'homme pour qui elle l'avait si souvent délaissée.

Égal à lui-même, Django débarqua cinq minutes avant son premier concert à bord d'une Impala blanche à sièges rouges où avaient pris place sa femme, son frère et... son singe. Django possédait deux roues de secours et un cric flambant neuf, mais il n'avait ni cordes de rechange ni médiator. Comme par hasard, Joseph avait oublié de les apporter.

Qu'à cela ne tienne. Impérial, Django cassa une dent de son peigne, la plus grosse, et il fit toute la saison avec ce succédané et trois cordes à sa guitare.

On leur avait réservé une suite dans le meilleur établissement. Or Django se déclara insatisfait. Le directeur accouru, obséquieux et déterminé à rendre son séjour le plus agréable possible à cet hôte de marque.

« Que puis-je pour votre plaisir, monsieur Reinhardt ?

— J'aime bien faire du bruit en marchant. J'ai besoin de sentir le parquet craquer sous mes pieds. »

Ces tapis haute laine que les gadjé mettaient pour étouffer le son de leurs pas ne lui convenaient pas. Pas plus d'ailleurs que les miroirs de salle de bains qui lui faisaient la même tête que sur les carnets anthropométriques que les gens de son espèce étaient obligés de montrer au moindre contrôle de police.

Il déménagea donc dans une petite chambre au plancher grinçant dans un garni du port. Là, il envoya valser ses mocassins rouges et son smoking blanc et donna quelques récitals en petit comité pour la plus grande joie de ses proches et des voisins du dessous.

Pour la fille de Maggie élevée par les sœurs, cette rencontre fut inoubliable.

« T'as quel âge, ma belle ?

— Dix-sept ans, monsieur.

— Appelle-moi Django. T'as un petit ami ?

— Non.

— Sans blagues ? Si j'étais pas si vieux, je te draguerais bien, dit-il en l'attirant contre lui.

— Cesse de tripoter ma fille, dit Maggie. J'ai trouvé mieux pour t'occuper les mains. »

Fâchée de le voir s'échiner sur un instrument déglingué, elle lui offrit une Selmer-Maccaferri dont le nom est à jamais associé à la légende du Manouche.

« Je suis certaine qu'elle te plaira. En la voyant, j'ai pensé, cette nana-là c'est pour Django. »

Il saisit la guitare et l'examina avec curiosité.

« Oh, oui ! Elle est bien à ma pogne...

— Le fabricant m'a dit qu'on ne l'apprivoisait pas avec une méthode mais par le travail, la persévérance et surtout une force spirituelle. »

Il plaqua deux, trois accords de « Swing Guitar ».

« J'aime comme elle me résiste, dit-il en adressant un clin d'œil à Jenny. Elle se donnera lorsque j'aurai une idée du son que je veux en tirer. »

S'il ne l'avait pas aussitôt adoptée, pas sûr que cet instrument révolutionnaire eût connu un tel succès. Avec sa caisse en contreplaqué ultralégère, ses barres horizontales toutes simples et sa table cassée aux vibrations fantastiques, la « Selmac » correspondait exactement au jeu de Django, à ce qu'il attendait d'une guitare.

Était-ce parce que Maggie lui avait raconté l'histoire de Démosthène, cet orateur bégayant qui se mettait des cailloux dans la bouche pour parler plus fort que la tempête ?

Toujours est-il que sur les plages du Pays basque, face à la mer montagneuse, dans la poussière mouillée des embruns, Django étrenna sa « Selmac » en jouant « Nagasaki », « Limehouse Blues », « Swing Guitars » et « Georgia on My Mind », autant de morceaux brise-lames qui couvraient le fracas des gros rouleaux.

Assise sur le sable, Maggie le contemplait avec fierté tandis que Jenny sentait son cœur s'emballer. À Préjean qui un jour lui avait demandé pourquoi elle s'accrochait à ce type aux yeux duquel elle ne représentait rien, Maggie avait rétorqué :

« Aucun artiste ne peut exister sans deux, trois personnes prêtes à mourir pour lui.

— Et tu serais prête à donner ta vie pour ce saltimbanque ? »

Elle n'avait pas répondu, mais au plus profond d'elle-même aucun doute n'était permis.

Le soir, ils dînaient ensemble sur la promenade des Rochers, face à la Rhune. Maggie expliquait à Jenny que Django avait créé un genre : le jazz manouche, ce qui faisait doucement sourire l'intéressé.

« Jazz manouche, disait-il, qu'est-ce que c'est que cette bestiole ? Moi, il y a deux choses que je déteste : la soupe aux fèves et le folklore tzigane. Parce que, quand j'étais petit, qu'est-ce qu'on a pu m'en faire avaler... Quant au jazz, je n'ai jamais vraiment su ce que c'était... Une musique que les Noirs ont inventé pour pouvoir traiter de singes tous les Blancs qui cherchaient à les imiter. Moi, je ne suis ni blanc ni noir et quand on me traite de singe, j'y vois comme un compliment... Pour en revenir à la musique, la mienne, après s'être nourrie d'un peu tout, ne ressemble à rien. D'ailleurs, je ne joue jamais deux fois la même chose. J'arrête pas de chercher...

— Quoi ? demandait Jenny.

— Eh bien, le temps qui s'est foutu le camp, le vin de la jeunesse évaporé, ces fugitifs moments de félicité dont les enfants, les bêtes et les fous ont la perception immédiate et qu'ils gardent en eux longtemps... Ce genre de bonheur qu'on éprouve en marchant seul dans la forêt ou en contemplant un joli minois comme le tien. Ces petits plaisirs que les mots sont impuissants à communiquer, tu vois, je les confie à ma guitare qui trouve ensuite les notes justes, qui fait résonner les octaves comme des carillons. »

Plus il jouait, moins il semblait se soucier de montrer ce qu'il savait faire. Il était dans la prière et l'incantation plus que dans le bouillonnement ou la tornade de ses débuts... La joie ou le chagrin, un nuage qui glace une après-midi bleue, les pirouettes d'un bambin, ce que les roses doivent aux orties, Django les captaient et les restituaient avec une simplicité et une humilité qui forment l'apanage des plus grands.

Django repartit comme il était venu au volant de son Impala, sans permis, sans assurance, la casquette vissée sur le chef, un foulard de soie autour du cou, des échardes plein les pieds, le singe suspendu à ses épaules. *Ecce homo.*

17.

L'année suivante, aux premiers bourgeons, sans prévenir personne, Django partit en roulotte sur les routes de France. Il s'agissait de ralentir la cadence car l'agenda des derniers mois avait été particulièrement chargé, concerts, séances d'enregistrement et invitations à faire le bœuf avec telle ou telle sommité sudiste ou yankee se succédant à un rythme effréné. Voir défiler à petite vitesse hameaux, fermes et clochers reposait son cœur bondissant. Bon Dieu que c'était chouette de tracer droit devant, un trèfle entre les dents ou de taquiner l'ablette le long des rivières secrètes. Naguine lui préparait des coucougnettes de veaux (le goinfre en raffolait) et ils allaient se câliner dans l'ombre épaisse d'un gunnera. De son côté, Grappelli pestait dans sa barbe : « Je hais le printemps ! »

Au mois de juin 1937, le quintette se produisit à Zurich sans Django. L'hiver suivant, le groupe ressoudé (du moins sur l'affiche) joua au Don Juan, à Paris. L'ambiance était des plus moroses. Ne parlons pas de Stéphane et Django (comme chien et chat) mais de Joseph qui en avait décidément soupé de son rôle de porte-rengaine.

Assis à l'écart, l'indispensable fournisseur de cordes et d'écailles de tortue picolait, perdu dans une détresse insondable. La rébellion qui couvait déjà à Saint-Jean-de-Luz enflait sous ses sourcils broussailleux. Envieux de son aîné trop gâté par les fées, il souffrait qu'on le considérât comme un musicien raté. Marre de jouer les seconds couteaux. Il valait mieux que ça, merde à la fin.

« Qu'est-ce que tu marmonnes ? s'étonnait Vola.

— Toi, lâche-moi les arpèges !

— On dit les arpions, corrigeait Chaput.

— J'vous dis d'me lâcher, cons ! »

L'abcès finit par crever au cours de la Saint-Sylvestre, chez Django. Après un balthazar à tout casser qui avait réuni l'orchestre et auquel assistaient Maggie et Jenny, en plus de Négros, de l'intenable chimpanzé et des inévitables « cousins », Joseph, sous l'emprise des mélanges alcoolisés, monta sur ses grands chevaux. L'occasion d'une tragédie antique à la mode tzigane. Tout y passa, l'enfance mal digérée, les humiliations, les frustrations... Lui aussi avait du talent. Et même des talents cachés. Il peignait, il s'intéressait à la lutherie. Il ne l'avait jamais révélé à personne, mais cette guitare de rééducation sans laquelle Django ne serait pas Django, c'était lui, Jojo l'incapable, qui l'avait conçue et fabriquée. Face aux ricanements soulevés par cet aveu, il prit Négros à témoin :

« Dis-lui, toi, allez, crache… »

Une lame jaillit, puis une autre, on voulut séparer les deux frangins à deux doigts de s'entrelarder, la bagarre devint générale et la smala finit le réveillon au commissariat.

S'ensuivit une grosse période de flottement, chacun boudant dans son coin. Maggie était effondrée, elle pensait que c'en était fini de la joyeuse bande.

L'orchestre qui semblait avoir volé en éclats se retrouva pourtant au printemps suivant

His Master's Voice demanda à la compagnie Gramophone d'enregistrer dix-huit faces du quintette. Les disques furent réalisés les 21, 22, 26 et 27 avril et l'on en profita pour graver dans la cire deux solos de violon de Grappelli et (pour ménager les susceptibilités), deux solos de guitare de Django : « Parfum » et « Improvisation ».

Oh ! ces lignes de basse, ces plongeons en piqué, ces passages en rase-mottes, ces vols de martinets, ces brutales sautes de rythme, ces soudaines échappées, ces loopings, ces fusées !

Django jouait comme l'Archange pilotait : sans peur et sans filet. Par plaisir autant que par défi, par goût du grand frisson.

Maggie réalisait seulement maintenant la troublante parenté. Nés la même année, Verseau tous deux, des natures explosives.

Ce qu'elle avait ressenti dans l'avion, le premier jour, cet orgasme stratosphérique, se prolongeait dans ces instants où Django décollait entraînant tout l'orchestre derrière lui.

Les meilleurs jazzmen du moment se retrouvaient fréquemment pour enregistrer ensemble. Outre Django et Grappelli, Bill Coleman, Benny Carter, Coleman Hawkins, André Ekyan et le jeune Alix Combelle participaient à cette foisonnante liturgie.

Ils avaient tous conscience qu'une telle concentration de talents ne se reproduirait peut-être jamais plus. Oubliant leurs querelles et leurs rivalités, s'asseyant sur leurs ego, ils donnaient le meilleur d'eux-mêmes lors d'inoubliables jam-sessions qui se déroulaient au petit matin au cabaret Swing Time qu'André Ekyan avait ouvert, rue Fromentin.

Ma chère fille, ma Jenny,

Ah ! Les jams du Swing Time, comment te les décrire ? Il ne s'agit pas de jams bidon pour faire les smarts. Non, là, ils créent quelque chose de nouveau, ils inventent la mode à chaque fois et parfois la mode doit leur courir après, tellement ça file vite. Moi, ils me rendent folle. Lors d'un concert traditionnel, les musiciens sont sur scène et le public, face aux musiciens, n'entend que d'un seul côté. Se retrouver au centre de l'orchestre, lorsqu'on n'est que simple auditrice, est un privilège rare. Les sons éclatent de tous les bords à la fois et vous traversent véritablement. La musique de Django monte des profondeurs de son être et vous enveloppe ainsi qu'un nuage de spores hallucinogènes pour vous plonger dans une langueur spéciale. Je suis assise sur une banquette et je sens la drogue me pénétrer. On a l'impression de se dédoubler, d'être debout sur une vague qui nous submerge sans cesse. Un fumeur d'opium dirait qu'il chevauche le dragon. Écouter Django, c'est chevaucher le dragon. Alix Combelle est là, tout près, lui aussi est possédé. Il se penche à mon oreille, me souffle quelque chose que je ne comprends pas tant la musique est forte : « Quoi ? – Sais-tu à quoi on reconnaît une vraie jam session ? – Non. – À ce que les musiciens arrivent à jouer jusqu'à dix chorus et ces dix chorus ont tous leur raison d'être, le dixième tombe sous le sens car il découle logiquement du neuvième lequel fait suite au huitième... » C'est repousser sans cesse les limites de ce qu'il est possible de faire, tu comprends ?

Alix se lève, s'empare de sa clarinette et rejoint les autres...

Lorsque au troisième ou quatrième chorus, le soliste sent que « ça vient », que « la sève va jaillir », alors il joue jusqu'à ce qu'il ait craché tout son jus, c'est à celui qui en a le plus sous la corne des doigts et à ce petit jeu-là, Django est insurpassable. Il soutient en riant que c'est la même histoire que picoler. On compte les premiers verres et ensuite, lorsqu'on est bien parti, on ne compte plus, on se laisse aller à l'ivresse jusqu'à tomber du tabouret et rouler sous la table... Certains soirs, ça bombarde de partout, c'est incroyable, chaque musicien est à son top. Il tente une séquence mélodique qui détonne, ça donne l'idée au copain d'essayer une déclinaison en mineur, laquelle marche, tout réussit comme cela n'arrive que trop rarement dans la vie d'un artiste...

Django aime tenter. Tu le connais, il est joueur dans l'âme. Ça brinquebale un peu au début mais il possède une sorte de stabilisateur qui fait que son rafiot ne prend jamais l'eau...

Il s'empare d'un morceau commercial style « I Can't Dance » et il s'amuse à le triturer dans les nuances les plus insoupçonnables. Le premier à abandonner est Bill Coleman, puis c'est au tour de Benny Carter de jeter le gant, il ne reste plus en lice que le Faucon et Django... Hawk, avec son grand chapeau texan renversé en arrière joue dans presque tous les tons avec une désinvolture incroyable. Mais Django reprend un ton au-dessus à chaque fois, sans qu'on ne puisse jamais le faire céder. Il est le boss. D'ailleurs tous finissent par l'applaudir dans un immense éclat de rire car ça dépasse l'entendement...

Mon adorée, pardon d'avoir été si bavarde, je voulais seulement te faire partager ce moment de pur bonheur, être tout près de toi. quel temps fait-il en Angleterre ? Comment se passe ton stage ? Django m'a demandé de tes nouvelles... Maintenant qu'il sait que tu es à Londres pour y étudier l'anglais, il tanne l'imprésario du quintette de lui dégoter un concert là-bas... un concert rien que pour toi. Cet homme est profondément bon, je crois, malgré ses démons. Il faut seulement savoir qu'il ne raisonne pas comme nous. Je vis toujours dans l'angoisse de le perdre. Il n'y a que lorsqu'il joue que j'oublie tout. Je t'embrasse fort, ma Jenny. N'oublie pas de nous écrire.

Maman

Dans un article de presse soigneusement découpé par Maggie et adressé à Jenny, on présentait Django Reinhardt comme le seul Européen de race blanche à pouvoir rivaliser avec les géants de la scène new-yorkaise. Le critique s'aventurait même à affirmer qu'il les influençait.

Le violoniste noir Eddie South adorait jouer avec Django, et réciproquement. Stéphane Grappelli en prit pour son grade. Dès que l'artiste noir pointait le bout de son archet, Grappe se retranchait dans un boui-boui du voisinage où on le retrouvait au petit jour torché à la crème de whisky. Ce fut Jean-Sébastien Bach qui contribua à les rabibocher, oh, le temps d'une simple séance d'enregistrement, à l'initiative de Charlie Delaunay qui avait déjà compris que le talent du Manouche pouvait aussi s'appliquer à la musique classique. Stéphane, Eddy et Django « arrangèrent » le premier mouvement du *Concerto en ré mineur* – une manière de fumer le calumet avant la reprise des hostilités.

Le jour où le quintette dut enregistrer en direct pour les États-Unis resta dans les mémoires. Les musiciens accordaient leurs instruments tandis que les ingénieurs du son s'affairaient autour du camion technique garé sur le trottoir, devant l'entrée du Big Apple. Le speaker commit une énorme bourde en lançant : « *And now, ladies et gentlemen, en direct from Paris, Stéphane Grappelli et son Hot Four.* » Le sang se retira des joues du Manouche qui, piqué au vif, quitta son siège. L'orchestre déconcerté en resta muet. Le speaker bafouilla. En langage des signes, on supplia le quintette de jouer et on expliqua à voix basse à Django que c'était une *mistake*.

Son « associé minoritaire » n'y était vraiment pour rien cette fois-ci. Django se rassit et fit le boulot sans chercher à le saloper, l'enjeu était trop grand. Mais à la suite de cette *mistake*, il n'adressa plus la parole à Stéphane durant des semaines.

Django allait tenir sa revanche en octobre suivant, salle Gaveau, à Paris... pour le plus beau concert de jazz jamais entendu, selon Maggie qui n'avait pas de mots assez forts pour décrire à sa fille le troublant *Boléro*. Qui donc, en l'écoutant, pouvait encore douter que Django Reinhardt ne fût pas simplement un remarquable soliste et accompagnateur mais un grand maître impressionniste à l'égal de Ravel et Debussy ? D'ailleurs, comme eux, ne composait-il pas en contemplant le reflet des arbres dans l'eau des étangs ? De quoi remettre les pendules à l'heure et conforter Maggie dans son rôle de Cassandre.

Comme elle le confia à sa fille, elle était heureuse de n'avoir pas poursuivi le Conservatoire. Pour bien jouer du jazz, il ne faut pas avoir eu une formation classique ou alors il faut s'empresser de l'oublier. À quelque chose, malheur est bon. La polio lui avait au moins épargné le ridicule. Elle préférait et de loin être auditrice de ce qui apparaîtrait plus tard comme la période la plus faste de l'histoire du jazz hexagonal. Elle savourait sa place unique : habituellement, les femmes n'entraient pas dans cette chasse gardée masculine.

18.

Le quintette reprit ses voyages à l'étranger.

Au Kurzhall de Scheveningen, Django se retrouva coincé dans un couloir sans issue par une centaine de fans en quête d'autographes. Il manqua finir asphyxié. Joseph le tira de là par les bretelles en sortant son coutelas et en hurlant comme un putois que son frère ne savait pas écrire...

À Amsterdam, pour se détendre avant un concert, Django parcourut le musée des horreurs. Il eut beaucoup de mal à s'en remettre. La vision de ces fœtus à deux têtes, cyclopes et autres phocomèles figés dans le formol le renvoyèrent à ce qu'on disait des romanichels : des dégénérés copulant entre eux ou avec des chèvres. C'est les jambes en marmelade qu'il rejoignit ses vieux complices Coleman Hawkins, Freddy Johnson et Benny Carter, au Palace, pour un concert « monstre ».

À La Haye, puis à Bruxelles, le quintette donna encore d'étourdissantes jam sessions.

Au cours de cette tournée triomphale, Django visita la fabrique de jouets de Maggie. C'est un métier difficile de savoir ce qui plaît aux enfants et l'avis de Django (qui, sur bien des points, n'avait pas dépassé l'âge de dix ans) lui serait précieux. Il observa avec attention chaque pièce du catalogue. Son œil était celui du connaisseur car, sur les fortifs, il avait lui-même confectionné des petites roulottes et des chevaux avec des brindilles et du raphia. Maggie lui dévoila sa collection de boîtes à musique. L'une d'elle était à l'effigie du Manouche. Elle lui fit écouter l'air qu'elle avait choisi, « Minor Swing ». Visiblement touché, Django remonta la petite clef mettant en branle le mécanisme. Sa prunelle pétilla en entendant la mélodie qu'il avait imaginée. Il lui fit remarquer qu'il y avait une fausse note mais que ça passait très bien. Ce « petit tourniquet » était unique au monde : le Django miniature moulinant un accord que le vrai Django n'avait pas trouvé.

Lui aussi avait quelque chose à montrer à Maggie. Il l'entraîna à bord de sa dernière folie : une Juvaquatre pourvue de deux trappes d'aération dans la carrosserie, permettant de ventiler les pieds du conducteur et ceux du passager. Dehors comme à l'intérieur, la bise sifflait et ce pèlerinage à Luttre-Liberchies, dans la province du Hainaut, prit l'allure d'un voyage en tapis volant.

Django était d'humeur folâtre.

« Les anciens disent qu'un tzigane sans cheval n'est pas un vrai Tzigane. C'est pourquoi je veux beaucoup de chevaux à mes voitures. T'entends les mustangs sous le capot ? Écoute-les tambouriner ! »

Ils traversèrent Charleroi, au milieu des crassiers, la ville d'Europe au plus haut taux de criminalité.

En revoyant la Mare aux corbeaux, l'endroit où il était né – un décor à la Bruegel – Django se souvint de son père qui l'emmenait chasser les niglos à travers les halliers alentour et de sa mère qui dansait dans les estaminets. Il revit la petite église Saint-Pierre où il avait été baptisé plus par superstition que par conviction profonde.

Émue, Maggie voulut lui prendre le bras. Le Manouche sortit ses piquants. Il gardait cette distance de sécurité acquise au fil de ses divagations et qui lui avait permis, jusqu'ici, de sauvegarder sa liberté. Mais ce sauvage ne manquait pas de spiritualité et, sur le chemin du retour, parlant fort pour couvrir le bourdon de la « climatisation », il confia à son auditrice réfrigérée qu'il refaisait souvent le même rêve : il était à l'orgue et composait une messe pour ses frères romanichels...

Ils dînèrent dans une gargote à la sortie de Charleroi.

Django était redevenu lointain, mystérieux. Il commanda une bière sans en proposer une à Maggie. C'était tellement cavalier qu'elle pouffa.

« Est-ce que tu penses que je peux avoir une bière moi aussi ? »

La question parut l'étonner.

« Ouais, bien sûr si t'en as envie. »

Il ne fit aucun geste pour commander.

On leur servit des moules marinières. Django mangeait en faisant beaucoup de bruit. Il en mettait partout.

« Doucement, dit Maggie, on ne va pas te voler ta gamelle. »

Il leva les yeux et s'aperçut qu'elle n'avait pas touché à son pain. Il avança la main puis se ravisa.

« T'en veux pas ? »

Elle sourit et lui tendit son morceau.

Elle aurait aimé qu'il évoque un peu plus son enfance mais face à son mutisme ce fut elle qui lui parla de la sienne. Elle était la seule fille d'une fratrie de huit enfants. Un père militaire jamais là. Une mère couturière à domicile.

Django l'écoutait d'une oreille distraite en se curant les dents avec une allumette. De temps à autre, il lâchait un « c'est dur » mais uniquement pour alimenter la conversation. La vérité est que la vie des autres, des visages pâles, le laissait froid. Il avait ses propres codes de pensée. Une perception des choses et des gens dénuée de compassion. Son cerveau ne fonctionnait pas comme celui des gadjé. La bonté, la pitié, la miséricorde n'entraient pas dans ses circonvolutions. En revanche, il n'interdisait à personne d'en avoir pour lui.

Ils reprirent la route et tracèrent jusqu'à Bruxelles sans échanger un mot. Maggie ne commettrait plus l'erreur de chercher à le toucher. Elle n'essaierait plus de lui prendre la main. Elle avait compris que cet homme qui lui procurait tant d'émotions n'en ressentait aucune à son égard ou du moins pas celle qu'elle espérait secrètement susciter. Elle s'était résignée à cette relation à sens unique. Tout ce qu'elle voulait, c'était être à ses côtés comme en cette journée qui s'achevait. Il la déposa chez elle et, avant de se séparer, il la surprit encore en lui donnant un baiser qu'elle n'avait pas demandé. Sa bouche avait un goût d'échalote. Il glissa sa main mutilée sur sa cuisse, releva sa jupe, la renversa sur la banquette.

« On serait mieux à l'arrière, non ? »

Ils firent ça à l'avant, coincés sous le klaxon.

19.

Django continuait à se rêver en vedette américaine. Pour Grappelli, tout aussi ambitieux mais moins irréaliste, la scène londonienne constituait une bonne rampe de lancement. Le groupe y trouverait un écho et des conditions de travail bien meilleurs qu'à Paris où le jazz demeurait encore trop confiné aux *happy few*.

À Londres, ils retrouvèrent Jenny. Ayant acquis une solide maîtrise de l'anglais, elle entra comme interprète au service de la petite troupe. Elle était désormais dans l'œil du typhon musical et, prenant le relais, elle écrivait maintenant à sa mère pour lui raconter les exploits de leur idole.

31 janvier 1938

Ma chère maman,
Ils se sont produits au Cambridge Theater. Django et Stéphane étaient dans une forme éblouissante. Ils ont été applaudis à tout rompre après l'exécution de « Mystery Pacific », « Boléro », « Swing Guitar », « Daphné » et « Tea for Two ». L'enthousiasme a même tourné au

délire. Après le concert, on est allés boire un bock. Personne n'avait sommeil. C'était drôle de me retrouver dans ce groupe d'hommes, serrés sur une banquette, tout près de Django. Je ne voulais pas boire mais il a insisté pour que je trempe les lèvres dans sa chope. Tout le monde a ri parce que la mousse me collait aux lèvres. Django m'a baptisée Chattoune ! Et maintenant ils m'appellent tous comme ça...

Deux séances d'enregistrement eurent lieu dans la foulée. Le quintette joua pour la première fois « Night and Day », miraculeux document de délicatesse et de communion musicale selon l'avis éclairé de Charlie Delaunay et « My Sweet » qui se termina en éclat de rire lorsque Django, chargé de présenter Louis Vola, s'emmêla les pinceaux :

« Est-ce que monsieur Solo voudrait nous faire la grâce d'un Vola ! »

Au cours du bon repas qui suivit, Chaput ne lâcha pas l'affaire :

« Et pour fêter ça, monsieur Champagne va nous offrir le Reinhardt ! »

Le jeune musicien manouche Eugène Vées faisait ses débuts dans le quintette. Sa première sortie dans l'univers des gadjé amusa beaucoup ses comparses qui se délectaient des frasques de l'hurluberlu. Il fallait le voir dans les ascenseurs, son grand chapeau sur les yeux, ses vieilles tatanes béantes, des repousses de poil lui mangeant le menton, coincé entre deux gentlemen qui se pinçaient les narines. Il ne savait jamais sur quel numéro appuyer pour rejoindre l'étage où se trouvait sa chambre et incapable de lire le numéro de celle-ci, il entrait partout sans frapper, provoquant l'effarement des chasseurs en livrée du Regent Palace. Shocking Gégène !

Maggie, qui partageait épistolairement les tribulations du petit groupe à Trafalgar Square, croyait revoir Django à ses débuts, plongé lui aussi dans des abîmes de perplexité chaque fois qu'il devait prendre un double bus ou boire une pinte dans un pub. Immanquablement, elle songeait au pauvre Gaspard Hauser de Paul Verlaine : « Je suis venu, calme orphelin / Riche de mes seuls yeux tranquilles / Vers les hommes des grandes villes / Ils ne m'ont pas trouvé malin. » Que de chemin parcouru depuis la Mare aux corbeaux et les fortifs de Choisy ! Bien qu'habitué à la grande vie, Django se sentait « par le sang et par la pensée » plus proche de Shocking Gégène que des queues-de-pie amidonnées.

L'Angleterre des bookmakers était un pays selon son cœur. Il avait découvert, non loin de l'hôtel, une kermesse et parmi les attractions, les premières machines à sous qui ne crachaient pas encore leur mitraille mais des paquets de cigarettes qui s'entassèrent par centaines dans l'armoire de sa chambre. Après son départ, une soubrette provoqua une avalanche. Django, lui, préférait les mégots ramassés dans la rue, leur trouvant meilleur goût.

Séjour heureux donc au cours duquel il se rapprocha encore de Jenny. À son contact, cette oie blanche avait appris à sourire. Pour son vingtième anniversaire, Django lui dédia même un morceau : « My Melancholy Baby ».

À la Toussaint 1938, les Kuypers mère et fille se rendirent à Blankenberge pour fleurir la tombe de l'aviateur. Maggie avoua qu'elle n'était pas sûre que ce fût bien l'Archange qui reposait à cet endroit. Le corps n'avait pas été formellement identifié et un sérieux doute persistait quant à la nationalité du défunt.

« Tu veux dire qu'il pourrait s'agir d'un Allemand ?

— Oui, dit Maggie, et il se pourrait même que ce soit l'homme qui a abattu ton père. »

Jenny reprit aussitôt le bouquet de roses qu'elle avait déposé sur les graviers blancs.

« De toute façon, dit Maggie, quelle importance ? Paix à leurs âmes. »

Elles marchèrent en silence jusqu'aux remblais qui longent la plage. Le regard de Jenny se perdait dans le vide. La mer du Nord déroulait ses vaguelettes grises. Plus loin, un orgue de Barbarie égrenait sa chanson triste.

« Tu l'as connu comment ? demanda Jenny.

— Je te l'ai déjà dit cent fois.

— Je ne parle pas de papa, mais de Django.

— Ah ! Django… Dans un guinche.

— Tu es tombée amoureuse ?

— C'est à toi maintenant qu'il faut poser la question, Chattoune.

— Moi, il me voit comme une enfant. »
Maggie eut un rire étrange.
« Vous avez eu une aventure ? demanda Jenny.
— À ton avis ?
— Je sais que oui.
— Alors, pourquoi poses-tu la question ?
— Et c'était comment ?
— *Allegro vivace.* »

20.

Avec Django, les périodes de calme ne duraient jamais longtemps. Après une série de représentations à Paris et de nouveaux enregistrements pour la marque Swing, première firme phonographique à diffuser du jazz à l'échelle planétaire, le quintette retourna en Grande-Bretagne pour une grande tournée qui devait le conduire aux îles Shetland. Cette fois Naguine était de la partie.

Les couples qui s'entendent sont ceux qui ont toujours été habitués à vivre dans des espaces exigus. Cette promiscuité patiemment entretenue dans des verdines ou des chambres d'hôtel de troisième catégorie avait beaucoup contribué à souder Naguine et Django. Bien sûr, il y avait eu l'histoire de la blonde entraîneuse et que cela n'ait eu aucune incidence sur leur relation supposait que Naguine considérât les infidélités de Jeannot Renard comme un mal nécessaire et s'en accommodât au même titre que l'usage immodéré de la bibine et du tabac et l'envahissante présence du singe bouffeur de savon.

La seule fierté de la femme manouche est d'avoir un homme bien sapé, oisif et admiré de tous.

Django avait été élevé par Négros dans cet esprit-là. Et c'est comme ça qu'il plaisait à Naguine. En poussant les choses à l'extrême, elle n'aurait pas compris que l'homme qu'elle aimait ne se comportât pas en séducteur patenté. Séduire les femmes du monde et les abandonner au bord du chemin entrait presque dans ses obligations. La fonction première de Django était de faire battre les cœurs. Sa musique ne visait qu'à ça.

À force de fréquenter les hautes sphères, le rustique troubadour s'était policé... en surface. L'argent, il s'arrangeait pour le perdre au jeu, le travail, il s'en tenait le plus éloigné, jouer de la guitare devait avant tout rester un plaisir et dès que ça tournait à l'astreinte ou dès qu'une aventure d'un soir refusait de faner au matin, alors il détalait...

Malgré leur changement d'existence (et de statut social), Django et Naguine étaient restés profondément et farouchement romanichels. Une chambre d'hôtel, un appartement, la suite d'un somptueux palace : quel que fût leur point de chute, à peine installés, ils le transformaient en foutoir. Partout et en tous lieux, ils s'arrangeaient pour reconstituer le bivouac originel.

Cette fois, le couple avait élu domicile, en face de Hyde Park, dans un appartement hélas bien trop grand, qu'un lord, amateur de safaris au Kenya, avait prêté à la vedette désormais internationale. Django était très célèbre, devait s'habiller en pingouin et répondre poliment à mille sollicitations musicales et extra-musicales. Chaque jour, un chauffeur stylé venait le chercher au volant d'une Buick royale.

Aussi Naguine commençait-elle à trouver le temps long, dans ces grandes pièces de Bayswater Road. Quel incroyable bouleversement opérait sur leur intimité la notoriété de son concubin ! Naguine était intelligente, elle se disait bien que c'était trop beau pour durer et que, tôt ou tard, d'incartade en incartade, elle finirait par se retrouver larguée. C'est pourquoi elle insistait de plus en plus lourdement pour que Jeannot Renard l'épousât.

« Après tout, t'as bien épousé Bella alors qu'on se fréquentait déjà...

— Oui, mais toi, ce n'est pas pareil, tu es ma cousine, on se connaît depuis l'âge de dix ans. Et, de toute façon, qu'est-ce que ça changerait ? »

Un soir qu'elle promenait son spleen dans Soho, elle repéra la Buick qui attendait en double file devant l'entrée d'un club sélect, gardée par deux bacs à orangers. Quand elle demanda à James, le chauffeur, où était Django, il fit évidemment celui qui ne comprenait pas le français (les ros-bifs sont imbattables à ce petit jeu). Persuadée qu'on lui cachait quelque chose, Naguine pénétra dans le hall, provoquant la panique du majordome italien :

« *Scusi, signora*, où allez-vous ?

— Je suis madame Django Reinhardt. Pouvez-vous me conduire à mon mari ? Je sais qu'il est ici !

— Les dames ne sont pas... admises. »

Naguine insista, menaça. Le temps que le majordome compose le numéro de la direction, Naguine avait déjà rejoint le salon où Django se faisait paisiblement tondre au whist par d'autres membres du club, tous d'authentiques gentlemen, du moins en apparence.

« Lève-toi, Django, on rentre à la maison !

— Mais... tu vois bien que...

— Debout, j'ai dit. Maintenant ça suffit ! »

Django prit l'irascible par le bras et l'entraîna vers le bar :

« Ne fais pas de chambard, les femmes sont interdites. *No lady*, tu comprends ? »

Folle de rage, Naguine enfonça ses yeux charbon brûlant dans ceux de Django :

« Regarde bien No lady, regarde-la bien parce que c'est la dernière fois que tu la vois ! »

Elle tourna les talons, gagna la porte à tambour, monta dans la Buick et ordonna à James de la conduire immédiatement à Victoria Station. De là, elle rallia la place Pigalle qu'elle n'aurait jamais dû quitter.

Privé de sa moitié, Django était déboussolé. Décidé à la rejoindre au plus vite, il envisagea d'annuler les représentations.

« Ne fais pas l'idiot, Django, morigéna Grappelli. Nous avons un contrat. Tu ne peux pas nous planter comme ça ! »

Lors du dernier concert, il joua tellement vite que le bout de son médiator fondit. Il regagna Paris avec la Buick et le chauffeur. Son premier geste fut de promener No lady dans les étroites rues de Montmartre le cul calé sur des coussins dignes de la reine Victoria.

Ensuite, il gagna la porte de Choisy où on le salua comme le Messie. Son image auprès de ses frères roms n'avait cessé de grandir. Il était devenu une icône sur les fortifs. Une colonie de gosses en haillons s'entassaient dans la Buick et appuyaient à tour de rôle sur le klaxon sous le regard imperturbable de James, lequel touchait tout de même la bagatelle de cinq mille francs par mois, le salaire d'un ministre de l'époque.

Rabiboché avec Naguine qu'il avait promis d'épouser, il reprit sa vie de patachon, se faisant conduire dans les endroits les plus improbables et les plus glauques. Les parties de poker ou de billards duraient jusqu'au petit jour. James patientait au volant, un revolver dans la boîte à gants.

21.

Maggie avait pu le vérifier à propos de sa fabrique : pour être célèbre dans son pays il faut commencer par réussir à l'étranger.

La tournée triomphale du quintette outre-Manche et les enregistrements réalisés par Decca éveillèrent l'intérêt des music-halls français qui les uns après les autres lui déroulèrent le tapis rouge. Le Hot Club poursuivit son ascension dans le monde musical, se voyant offrir coup sur coup un engagement au Marignan et à l'ABC.

Après avoir bien mouillé la chemise, Django, apprenant qu'une caravane descendait vers le Puy, ne résista pas à l'envie d'offrir à Naguine une petite balade au pays des volcans. Coincée en queue de cortège derrière une colonne de carrioles nonchalantes, la Royal Buick ne dépassait pas les dix à l'heure. À la sortie de Lyon, en doublant imprudemment un tramway, il fit une embardée pour éviter un véhicule roulant en sens inverse. Il partit en tonneau. Tandis que des témoins s'ingéniaient à sortir Naguine de la carcasse de la Buick, Django, tout groggy, désignant

la malle arrière, implorait d'une voix mourante :
« Sauvez-la… sauvez-la… » Il parlait de sa Selmac
qui Dieu soit loué n'avait subi aucun dommage.

Conduit au commissariat et, ne pouvant produire ni son permis ni sa carte grise, Django fut
écroué pour vol de voiture et port d'arme illégal.
Il tenta bien d'expliquer que le revolver était celui
de son garde du corps et que lui personnellement
préférait se servir d'un couteau, il ne fit qu'aggra-
ver son cas. Comme on lui demandait de décliner
ses nom, prénoms, âge et qualité, il s'emporta :

« Je suis un artiste célèbre dans le monde
entier. Louis Armstrong et le prince de Galles
me connaissent ! »

N'ayant jamais entendu parler de Django Reinhardt et imaginant sous le vocable Hot Club une
boîte de strip-tease, les gendarmes se montrèrent
intraitables… Vol de voiture, recel d'armes et
proxénétisme aggravé, la totale. Entretemps
Naguine avait donné l'alerte. Prévenus par téléphone, Grappelli et Maggie volèrent à la rescousse
du détenu, confirmant qu'il était bien ce qu'il pré-
tendait être et qu'on l'attendait pour un concert
en présence du chef de l'État. Un gendarme tendit sa guitare à Django. La musique dissipa les
soupçons et leva la peine.

Dès lors deux questions se mirent à agiter Maggie Kuipers : quand Jean Reinhardt deviendrait-il
adulte et qu'adviendrait-il de Django s'il le devenait ?

22.

À l'initiative d'organisateurs britanniques, le Hot Club signa pour une série de concerts en Scandinavie en février 1939. Jenny insista pour être du voyage malgré les mises en garde de Maggie, très inquiète de la situation internationale. Ils devaient traverser l'Allemagne en pleine ébullition au lendemain de l'annexion de l'Autriche et à la veille de l'invasion de la Tchécoslovaquie. Emportée par sa passion, Jenny ne voulut rien entendre. Elle était majeure, elle voulait en profiter un max elle aussi. « Chacune son tour, maman ! » Comme la plupart des Montmartrois, les jazzmen ne voyaient pas venir le danger. Monsieur Solo et monsieur Champagne prenaient même les choses à la légère : il ne manquerait plus que le quintette à cordes ne fût annexé à son tour par le IIIe Reich ! Tout à leur musique, les joyeux lurons ignoraient qu'un visa était nécessaire pour voyager.

Sitôt franchie la frontière à Aix-la-Chapelle, les autorités les firent descendre de train et les conduisirent dans un grand bureau où deux officiers aux faciès hostiles procédèrent au contrôle des *papiere*.

Un portrait d'Hitler pantocrator était accroché au mur. Les reflets du soleil donnaient l'impression que la moustache du Führer frémissait, ce qui stimula les zygomatiques de Django. Dans un allemand rudimentaire, Stéphane expliqua qu'ils étaient des musiciens de jazz en tournée. Au mot jazz le visage d'un des officiers parut s'adoucir. Disons qu'il cessa d'aboyer et permit au quintette de circuler. On leur laissa la vie sauve mais on leur confisqua leur bourse. Un moindre mal.

À Hambourg, des oriflammes à croix gammées pavoisaient la gare infestée de soldats portant l'uniforme nazi. Le Führer était attendu d'une minute à l'autre pour visiter un cuirassé. Jusqu'alors, rien ne leur permettait de subodorer ce qui se tramait outre-Rhin. Néanmoins, ils filèrent en Scandinavie sans demander leur reste.

La tournée fut sensationnelle malgré un temps de chien de traîneau et un incident bénin au regard de la tragédie que s'apprêtait à vivre le Vieux Continent. Lors du premier concert, Stéphane se vit remettre une couronne destinée aux invités de marque au nez et à la barbe d'un Django livide. Le violoniste danois Svend Asmussen et le guitariste norvégien Robert Normann se chargèrent de lui faire oublier son dépit. Ces deux excellents musiciens, passionnés de jazz américain, n'avaient rien à envier à leurs confrères français dont ils avaient écouté et pourrait-on dire décortiqué les disques. Ils estimaient que la musique du quintette manquait de racines noires, que « ça ne sonnait pas encore assez jazz », mais lorsqu'ils eurent sympathisé et mêler leurs techniques, une admiration mutuelle se créa qui fit dire à Django, grand seigneur : « Pourquoi nous avoir invités alors que vous avez la même chose chez vous, en mieux ? »

Enfin pas tout à fait, car à la différence du Hot Club de France, celui de Norvège comprenait une clarinette, détail qui n'avait pas échappé au Manouche et allait longuement cheminer dans sa tête. Au fond d'une taverne enfumée, dans les relents de flétan mariné et les vapeurs d'aquavit, la bande à Reinhardt et les compagnons d'Asmussen prolongèrent leurs réflexions jusqu'au cœur de la nuit boréale, couvrant du son de leurs instruments les piétinements des hordes de loups prêtes à déferler sur l'Europe. Le reste de la tournée se déroula dans le même climat d'émulsion musicale et de camaraderie viking jusqu'à l'avant-dernier soir. Ils étaient à Stockholm et devaient se produire à Oslo. Mais leur concert fut annulé, leur bassiste ayant mystérieusement disparu.

De retour à Paris, fort troublés de ce qu'ils avaient entraperçu et entendu, ils se firent happer par un tourbillon de concerts et d'enregistrements. Decca leur commanda vingt et un nouveaux titres au mois de mars en n'autorisant que deux prises par morceaux. Toute la difficulté était de choisir la prise tant l'interprétation pouvait changer d'un galop à l'autre. On savait de moins en moins comment Django allait jouer pour la simple et bonne raison qu'il ne le savait pas lui-même. À l'écoute des épreuves, il riait, trépignait et laissait échapper un « Oh ! ma mère... », sincèrement sidéré par une envolée venue d'on ne sait où.

Des villes, des trains, des bateaux, des scènes, des studios, des mélodies aussi rayonnantes que « Swing 39 », « Undecided » ou « Don't Worry About Me », ainsi pourrait se résumer la vie du Manouche en cette veille d'apocalypse. L'événement majeur fut la venue de l'orchestre de Duke Ellington qui coïncida avec l'inauguration de la salle du Hot Club, rue Chaptal. Encore une fois, Django espérait profiter de cette aubaine pour propulser le quintette en Amérique. Django joua avec le Duke dans le minuscule cabaret triangulaire situé rue Notre-Dame-de-Lorette, qui allait devenir le repaire des « Hotistes » sous l'Occupation. En sortant de scène, il confia à Jenny et Maggie en avoir plus appris en une soirée avec les Ellingtoniens que dans toute une vie.

« Avec Duke, c'est comme si tu jouais à l'intérieur d'une bulle de savon. Tout est si léger, si irisé et tellement enfantin qu'on se trouve bête de ne pas y avoir songé. »

Le Duke était enchanté lui aussi et parlait déjà d'organiser un grand barnum aux USA. Django dut se pincer pour y croire, il voyait déjà son nom en lettres géantes briller de New York à San Francisco.

La guerre fit voler en éclats son rêve de gosse.

23.

Le quintette s'embarqua de nouveau pour l'Angleterre et, cette fois-ci, Maggie ne vit aucune objection à ce que sa fille suive le mouvement. Elle serait plus en sécurité sur l'île.

Ma chère maman,
En arrivant à Folkestone, nous sommes tombés en plein black-out. *Aucune lumière sur les routes, interdiction formelle d'utiliser les phares. Il nous a fallu quatre heures pour atteindre Londres. L'ambiance est lugubre. On a peint en bleu les carreaux des loges. On doit se plier au couvre-feu. Chacun fait contre mauvaise fortune bon cœur. Django et Stéphane se reparlent. Tout le monde se serre les coudes. Quelque chose de grave se prépare...*

Ne croyant pas à un débarquement mais ayant tout à redouter de raids aériens, les Londoniens faisaient des répétitions en barbouillant les vitres d'encre d'imprimerie. Cette extinction stratégique des feux – baptisée opération *blind shot* – visait à rendre aveugles les bombardiers ennemis.

Les habitants sont priés de prendre la couleur du vent, poursuivait Jenny. *On se croirait dans le roman d'H. G. Wells,* L'Homme invisible. *Sauf que c'est toute une ville qui entend se dissoudre dans l'air.*

Disparaître ou du moins ne plus apparaître n'entre pas vraiment dans les plans d'un artiste. Et pour Django, qui n'avait jamais pu tenir entre quatre murs, ç'aurait été vraiment le comble de l'absurdité que de mourir écrasé sous un immeuble pris pour cible par un gros bourdon de la Luftwaffe. Franchement il ne se voyait pas finir ses jours au bord de la Tamise, sous un amas de briques et de ferrailles. *No thank you, sir !*

Hier, nous étions conviés à une chasse au renard par lord Mountbatten venu grossir le fan-club de Django. Hélas, le son déchirant des cors accompagnant la battue nous a tous mis les nerfs à vif. En rentrant, les sirènes n'arrêtaient pas de hurler, surpassant en horreur les abois de la meute et tous les olifants. Django a réveillé Stéphane, le suppliant de faire quelque chose. Mais Grappelli ne pouvait pas empêcher la guerre. « Même si la musique adoucit les mœurs, il y a des limites, mon vieux... » Les yeux révulsés, l'écume aux lèvres, Django était dans un état second. Il tremblait de partout, proférant des propos sans queue ni tête tandis que les sirènes de la RAF redoublaient d'intensité. « Je peux pas jouer dans le noir ! Faut se tailler et vite ! C'est dément de rester dans une ville bientôt rayée de la carte par un déluge de feu ! » Trois heures du matin sonnaient à Big Ben. Django sur le trottoir, déjà tout habillé, regardait Stéphane, à la fenêtre de l'hôtel, en pyjama, qui tentait de le raisonner. Ils avaient des engagements, ils ne pouvaient pas tout plaquer comme ça. « Et Hitler, il les respectait ses engagements ? » Brisant là, Django a sauté dans un taxi et nous a faussé compagnie. Si tu as de ses nouvelles, merci de nous tenir au courant.

La nuit, le feu... c'étaient ses hantises.

Abandonnant sa guitare, son smoking, son singe et le contrat avec le Kilburn Theater qui devait prendre effet le lendemain, Django rappliqua en France par le premier bateau pour Calais, bientôt suivi par le reste de la troupe, exception faite de Grappelli, cloué à Londres par une fièvre de mammouth... Cette pathologie d'origine grippale d'après ce qu'on avait pu en savoir allait se prolonger plusieurs années et – aux dires de certains mauvais esprits – la température ne serait toujours pas retombée à la Libération, au point de retarder encore et encore son retour sur le sol français. Le nom courant de cette maladie mystérieuse aux multiples rechutes et complications était la pétoche, une affection assez virulente en temps de guerre et dont Django présentait lui aussi tous les symptômes, à croire qu'ils se l'étaient refilée... Si, pour se préserver, Django n'écoutait que son instinct, Grappelli, lui, détestait agir dans la précipitation. Il calculait, pesait, soupesait, échafaudait et ne s'aventurait dans une direction que lorsque tous les signaux étaient au vert. Durant six ans, la lumière rouge resterait allumée. On pouvait l'accuser d'être un planqué. On pouvait considérer aussi qu'en restant à Londres où ne tarderaient pas à le rejoindre de Gaulle et consorts, il n'avait pas choisi la plus mauvaise stratégie. Simplement cette fièvre qui le consumait était tout sauf patriotique.

24.

Bruxelles, 12 décembre 1939

Ma chère fille, ma Jenny,
Pardonne ce long silence, j'ai été, tu t'en doutes, bien occupée ici à la fabrique. Nous ne sommes plus que trois pour parer à tout, la plupart des ouvriers ayant rejoint le front. Tu me demandes si j'ai des nouvelles de Django. J'ai reçu un mot d'Alix Combelle qui m'a tenue un peu informée de sa situation. Alix a été réformé. Il joue au Kit Cat, la boîte d'André Ekyan avec Philippe Brun. Il faut te dire que, passé le désordre de la mobilisation, la vie nocturne a repris. Les permissionnaires ont besoin de se divertir et les « embusqués » font tourner la machine à billets en organisant des soirées. Tu te rappelles le Jimmy's Bar, ce cabaret de Montparnasse où je t'avais emmenée écouter Hawkins avant guerre ? Privé des musiciens américains qui faisaient sa réputation, le patron du Jimmy's a engagé Django. Un seul Noir est resté en France, Charlie Lewis, qui se fait maintenant appeler Charles Louis et prétend être « français des îles ». Alix dit qu'il force un peu sur la bouteille, mais

que c'est un sacré pianiste doublé d'un remarquable accompagnateur. Django et lui s'apprécient beaucoup.

Ce n'est pas le principal. Django parle de reconstituer le quintette avec des musiciens réformés ou blessés, un jazz band de bras cassés, en quelque sorte. N'est-il pas lui-même infirme ? Cela tombe sous le sens. Or l'invasion allemande soudaine et inattendue l'a obligé à remettre ce beau projet à plus tard. Avec Joseph et Naguine, ils ont migré vers la Camargue, emportés par une immense cohorte de pauvres gens poussant des landaus. J'espère que nous sommes en train de vivre un cauchemar et que nous allons bientôt nous réveiller. Il faudrait qu'un petit miracle se produise, car les nouvelles sont loin d'être rassurantes.

Je t'embrasse, ma chérie.

Une dernière chose, pour m'écrire, passe par la rue Chaptal, le siège social du QHCF, c'est plus sûr comme boîte aux lettres. Tu me connais, lorsque les choses vont mal, je ne suis pas de nature à faire du surplace. J'irai à Paris dans deux semaines et je prendrai mon courrier là-bas.

Maman

Le petit miracle ne vint pas et quelques mois plus tard, chacun comprit que les carottes étaient cuites et qu'il allait falloir s'habituer aux rutabagas. L'armistice signé, Django et les siens dirent adieu aux taureaux et aux flamants roses et regagnèrent Paris occupé. Curieusement, s'il existait un front sur lequel on ne désarmait pas, c'était bien le jazz. Les jeunes surtout, plus insouciants, voulaient jeter leur gourme. Tous les cabarets ayant été réquisitionnés par la Wehrmacht, on organisait des soirées « entre soi ».

Les nazis étaient à Paris et les zazous s'en donnaient à cœur joie. Comment expliquer cela ?

Il se trouvait simplement que la peste brune, pour une raison mystérieuse, n'avait pas occis le jazz et s'en était presque assez bien accommodée, même si d'un point de vue purement idéologique ce genre de musique aurait dû être honni et prohibé par l'occupant en raison de ses origines ethniques. Mais les soldats et les officiers n'étaient pas tous des nazis fanatiques. Dans les années 1920, le jazz avait un peu essaimé en Allemagne : Tommy Ladnier y avait joué, Sidney Bechet aussi. De bons orchestres locaux s'étaient lancés dans l'aventure et avaient trouvé un public. Bref, parmi les envahisseurs, il s'en trouvait qui appréciaient le « tam-tam nègre », comme Dietrich Schulz-Köhn, ce haut gradé mélomane et pacifiste, surnommé « Doktor Jazz » qui allait se montrer assez protecteur vis-à-vis de Django.

Le jazz qui jusqu'alors ne suscitait l'intérêt que d'une poignée d'amateurs éclairés déclencha donc la passion du grand public en mal de rêve et de fantaisie et privé des films hollywoodiens mis à l'index par l'occupant.

Du jour au lendemain, les disques s'arrachèrent comme des petits pains en même temps que le blé, le beurre et la farine commençaient à manquer. On voulait que ça swingue aussi bien dans les dancings clandestins que dans les music-halls tenus par la censure allemande.

« Swing » devint le mot magique, le bras d'honneur d'une jeunesse hostile au pas de l'oie.

On ne jure plus que par le swing. Tout ce qui est original est swing. Il faut être swing, écrivait Maggie à Jenny toujours londonienne et qui soutenait l'effort de guerre en étant infirmière. *Cela me rappelle notre jeunesse, l'époque des musettes, sauf qu'aujourd'hui tout est gris, moins chamarré, même le vocabulaire s'est appauvri. Django compense en créant une musique de plus en plus chatoyante...*

La rue Chaptal était devenue le point de ralliement des jazzophiles et swingologues de tout poil. On y passait des disques, on y écoutait les derniers tubes, on y étudiait le rythme, on y disséquait les riffs, on y lisait l'évolution du jazz dans le marc de chicorée – on parlait jazz, mangeait jazz, rêvait jazz – on y narrait les légendes des géants du grand Ouest, les Monk, Parker, Armstrong et autres gloires. On relatait leur dernière folie, leurs errements, leurs vices et leurs coups d'éclat. Les jazzmen étaient les vrais héros du moment. Eux seuls pouvaient sauver le monde.

Sentant le danger que cette mode pouvait représenter, le critique musical de *Je suis partout* n'y allait pas avec le dos de la matraque.

« Il fut un temps où roucouleurs et miauleuses de micro se contentaient en fermant coquinement les yeux de susurrer : amur et puis tujurs. C'était le bon temps.

Le système est aujourd'hui perfectionné. La tendresse ne suffit plus. Il y faut un grain de swing. Ce grain s'obtient de la manière suivante : bien malaxer les *m* et les *b*, de façon à obtenir une explosion, d'autant plus appréciée qu'elle sera plus forte, avec chaque mot qui commence par une de ces consonnes. Exemple : belle se prononcera *bbb'l* et mer *mmmir.*

Supposez que vous ayez à chanter sur la mer jolie. Le comble de l'art c'est de faire entendre à l'auditeur : la mairie jolie avec le *j* sucé comme un bâton de guimauve. Cette mode dure depuis plusieurs mois déjà. Tout porte à croire que nous allons en avoir pour toute l'année. Et même plus : car en prononçant de la sorte, on n'a même plus besoin de savoir chanter. Ce qui est tout de même bien agréable pour la radio.

Denys (de Syracuse) »

Django, lui, avait choisi le camp des frondeurs. Faire la nique à l'occupant c'était comme faire la nique aux *guardés,* les gendarmes... Après tout, il venait d'avoir trente ans et continuait à se comporter en éternel adolescent rebelle et noceur... Sur le plan créatif, il était au sommet au moment où Paris s'habillait de vert-de-gris. Un artiste ne choisit pas son époque pour briller. Surtout un musicien de jazz. Il ne peut s'arrêter en chemin ou, s'il le fait, il tombe dans un trou noir. L'axiome se résumait à joue ou crève. Et Django voulait en profiter, fût-ce au risque de passer pour un profiteur justement...

Il traînait son oreille de boîtes en cabarets à la recherche de partenaires dans l'idée de constituer un nouveau quintette. L'occasion était trop belle. Et ce n'étaient pas les talents qui manquaient. Faute d'artistes étrangers pouvant leur damer le pion, les musiciens français (les Combelle, Ekyan, Viseur, Barelli) brillaient de mille feux en ces temps crépusculaires.

Chez Mimi Pinson, il entendit un jeune saxophoniste ténor algérois au souffle prometteur, Hubert Rostaing. Ce dernier dut se pincer lorsque Django lui demanda si éventuellement il serait d'accord pour venir travailler avec lui. Une offre pareille ne pouvait se refuser.

« Passe au Jimmy's Bar, lui dit Django. On verra ça ! »

La nouvelle recrue se pointa au Jimmy's et manqua se trouver mal en découvrant qui s'y produisait : Philippe Brun à la trompette, Charlie Lewis au piano, Emmanuel Soudieux à la contrebasse, les frères Reinhardt aux guitares... De quoi refroidir ses ardeurs juvéniles !

Django repéra le nouveau et l'invita à les rejoindre.

« On joue "Venez donc chez moi !" comme si c'était un blues », lui dit-il.

L'autre ne savait pas ce qu'était un blues. Django lui montra et Rostaing bafouilla sa partition. Django l'entraîna illico vers le bar.

« Patron, deux soviétiques !

— C'est quoi ?

— T'occupe ! »

Six verres de vin rouge plus tard, ils revenaient sur scène. Alors Django saisit une clarinette et la tendit au jeune homme :

« Essaie avec ça, mon frère ! »

Complètement désinhibé par l'alcool, Rostaing se laissa aller sous l'œil bienveillant de Django.

« Ne lâche plus cet instrument, mon frère et reviens demain !

— C'est con, dit Rostaing, j'ai reçu ma feuille pour l'Afrique du Nord.

— Qu'est-ce que tu vas faire en Afrique du Nord ?

— Me battre ! »

25.

En ces sombres journées, deux événements contribuèrent à rendre Django aussi populaire que Maurice Chevalier. Il enregistra avec Charles Trenet « La cigale et la fourmi » et fut engagé chez Jane Stick où le Tout-Paris ne tarda pas à se précipiter. Django emménagea dans un grand appartement aux Champs-Élysées et vit son nom s'étaler sur les murs du métro. Ce n'était pas encore la Metro-Goldwyn-Mayer mais ça s'en rapprochait drôlement...

Paris, 4 mars 1940

Ma chère fille, ma Jenny,
Je crois que ça y est, Django tient la composition de son nouveau quintette. Il ne raisonne plus en instrumentaliste surdoué mais en vrai patron ayant un sens aigu de l'organisation.
Hier soir, après le concert, nous sommes restés très tard à discuter avec Pierre Fouad, son nouveau batteur égyptien.
« Écoute, mon vieux Fouad, lui dit Django, c'est pas parce que Grappelli nous a lâchés qu'on va mettre la clé

sous le paillasson. Je sais qu'il n'est pas facile à rempla-cer, mais j'ai dégoté un petit saxo qui joue très bien de la clarinette. Il joue dolce. *Il a de la volonté. Il bosse bien. J'ai envie de le prendre. Qu'est-ce que t'en dis ?*

— *C'est quoi cette idée de clarinette ?*

— *Ça vient de Norvège. Tu sais, quand quelqu'un a une bonne idée, on n'est pas obligé de la fiche aux orties.*

— *Ils n'ont pas de pianiste en Norvège ?*

— *Si mais ils peuvent se les garder. Le piano, ça alourdit le rythme. Moi, je veux pas des notes qui coulent comme des enclumes, je veux des notes qui s'élèvent comme... Tiens, comme la fumée de ton cigarillo.*

— *On n'a qu'à faire un quintette avec piano, batterie, contrebasse et deux guitares... et ça fumera aussi bien...*

— *Du point de vue du rythme, ça tient la route ton bazar, mais tu vois, l'idéal ce serait deux guitares, une batterie, une contrebasse et ce p'tit gars avec sa clarinette...*

— *Mais Rostaing va partir se battre. Ça peut durer la vie des geais, tu sais !*

— *Non. Je l'ai bien observé. Il est comme moi, le p'tit, la guerre, ça le fait chier. »*

Jenny chérie, il me tarde de te serrer dans mes bras, bien-tôt nous serons réunies, il faut garder l'espoir, ma douce.

Maman

Dès le retour du p'tit gars (démobilisé pour blessure), le nouveau quintette commença à répé-ter dans la cave du Hot Club. Non sans peine,

Hubert Rostaing tenta de s'intégrer au groupe. Il y mit tout son cœur, s'entraîna furieusement mais, face aux difficultés techniques que lui demandait de résoudre Django, il faillit renoncer.

Django composa « Nuages » dont il avait esquissé les premières mesures lors de son baptême de l'air entre France et Angleterre. Le premier test fut jugé « foireux » et lorsque Django n'était pas content, il le faisait bien sentir. Il demanda à Alix Combelle de venir au studio pour un nouvel essai avec deux clarinettes au lieu d'une seule, de manière à donner plus de profondeur orchestrale.

À Maggie venue assister à la séance, Rostaing confia ses doutes, ses peurs. Il était mieux à la guerre, c'était moins dur au front... Il pouvait y perdre la vie mais pas l'honneur... Pourquoi Django l'avait-il choisi, si Combelle jouait mieux que lui ? Il ne comprenait rien à ce manège humiliant et cruel. Maggie lui dit de se fier à Django...

Pour les deux clarinettes, il avait raison. « Nuages » allait devenir le grand tube de l'Occupation. Soudain les oreilles se débouchent comme après une ascension en ballon à travers d'épaisses nuées et l'on plane dans l'azur le plus pur. Avec ce morceau, la France qui depuis de longs mois vivait terrée et transie reprenait un peu d'altitude. Quant à Hubert Rostaing, il allait poursuivre son éducation auprès de Django et découvrir que ce sauvage n'avait aucune attirance pour les rythmes primaires, il aimait le subtil, l'élevé. Il était la Musique, la musique était en lui comme le suc est dans le fruit, la sève dans l'arbre, la chaleur dans le charbon. Né compositeur de musique sans savoir la lire ni l'écrire, il était contraint de s'attacher les services de musiciens doués d'une oreille suffisante pour suivre ses évolutions et s'accorder à ses fantaisies, car Django pratiquait une création ininterrompue, un *work in progress*. Jusqu'à présent, Stéphane Grappelli était le musicien le plus complémentaire, car le plus malléable, pouvant se plier aux folies du Manouche.

Django n'avait pas senti venir l'incendie de sa roulotte pas plus qu'il n'avait eu la prémonition de la guerre, contrairement à la croyance populaire qui prête aux romanichels des pouvoirs divinatoires. Extralucide il ne l'était que dans son art...

Accompagnateur hors pair, il savait se mettre en osmose avec tous les musiciens. Il devinait quel genre de musique ils avaient dans le ventre et jouait les obstétriciens. Comme un tennisman, il anticipait les retours et forçait ses compères à être inventif. Il rebondissait sans cesse, relançait inlassablement, raison pour laquelle ses concerts pouvaient durer des heures, des nuits entières jusqu'à épuisement total du public et des participants. Il jouait collectif. Il était tantôt incisif pour secouer la torpeur du groupe, tantôt mélodique en diable, capable d'arabesques d'une exquise suavité. Ce qui frappait tous les membres de son orchestre, c'était sa puissance et sa délicatesse. Les deux n'étaient pas incompatibles. Il pouvait charger comme un rhinocéros avec la grâce d'une libellule.

Celui qui était la musique faite homme ne savait pas parler de son art. Parler de la musique : quelle hérésie ! Il se contentait de dire qu'elle le rendait tantôt triste, tantôt gai. Ceux qui l'ont bien connu, comme Charlie Delaunay, savent ce mélange d'exubérance et de taciturnité ; plus russe que tzigane dans ses brusques écarts, dans le cœur de Django, ces hauts et ces bas se croisaient en permanence.

26.

À Paris, cinquante boîtes au bas mot accueillaient les riches noctambules qui ne voyaient pas d'inconvénient à frayer avec ces messieurs au bras levé.

Toutes les salles de spectacle qui, pendant si longtemps, avaient boudé ou snobé le gipsy, se le disputaient à grand renfort de contrats revus à la hausse que l'incorrigible flambeur s'empressait d'aller claquer dans les académies de billard de l'avenue Wagram.

Paris, 7 septembre 1941

Ma chère fille, ma Jenny,

Le succès que rencontre Django dépasse en ampleur tout ce qu'on pouvait espérer. Après le Normandie, il a fait les beaux soirs de Pleyel pour la semaine des vedettes de l'écran du disque et de la radio. Il a enchaîné avec les Folies Belleville, l'Olympia, l'ABC et puis l'Alhambra. Un triomphe. J'aime lorsqu'il se laisse aller à des fantasmagories, oubliant le programme qu'il a dû soumettre à la censure.

Il se produit en ce moment au Moulin-Rouge qui fait partie de ce circuit de salles de spectacle contrôlé par une compagnie allemande.

En attendant leur entrée en scène, les musiciens n'ont rien trouvé de mieux que de jouer aux fléchettes avec leurs couteaux, prenant pour cible la porte de la loge. Il y a trois jours, des Allemands alertés par le bruit sont venus voir ce qui se passait. En un éclair, les lames avaient rejoint le fond des poches et Django a expliqué les trous dans la porte par une invasion de termites. Le Moulin-Rouge, a-t-il dit, est prêt à tomber en poussière. Chez Jane Stick, le Tout-Paris se presse pour les écouter. Dans cette boîte qui n'attirait personne, le quintette en quelques jours a fait le plein de nababs et de vedettes : Danielle Darrieux, Marlene Dietrich, les frères Prévert, Roland Toutain, Jimmy Gaillard, Rubirosa... Certains soirs, Roland et Jimmy font un « réflexe ». Le jeu consiste à s'envoyer des assiettes à la figure... Les musiciens participent sans cesser de jouer... Django est d'une agilité incroyable pour éviter les soucoupes volantes. Au plus fort de la tempête vaisselière, il parvient à garder le cap. Après le concert et le ball-trap, on retire les tables et les clients guinchent. Quelqu'un est chargé de faire le guet... Dès qu'une patrouille approche, on remet tout en place et on se rendort.

Personne dans la bande ne possède de laissez-passer. Ils rentrent chez eux à pied, dans la neige, en se cachant sous les portes cochères au moindre claquement de bottes. L'autre soir, des gendarmes les ont arraisonnés et ils ont passé une nuit au commissariat de Saint-Philippe-du-Roule. Les agents refusaient de les croire lorsqu'ils affirmaient être des artistes de cabaret. Django, Gus Viseur et leurs musiciens se sont mis à jouer une ballade napolitaine pour prouver leur bonne foi. Emportés par la musique, ils ont joué jusqu'à l'aube, encouragés par la chiourme qui applaudissait en rythme. Les gendarmes les ont relâchés après leur avoir expliqué comment se procurer des Ausweis...

À Londres plongé dans la désolation sous le pilonnage incessant des bombardiers allemands, Jenny s'employait à stopper les hémorragies ou à fermer les paupières des innombrables victimes.

Par ses lettres d'une scandaleuse légèreté, Maggie ne visait qu'à apporter un peu de chaleur à sa fille. Pour ne pas l'accabler davantage, elle occultait volontairement l'envers du décor. Albert Préjean, son ex-soupirant, se rendait aussi chez Jane Stick, mais elle lui battait froid depuis qu'il avait accepté de tourner un *Maigret* pour la Continental. L'acteur s'étonnait de cette radicalité de la part de quelqu'un qui manifestement avait choisi le camp des fêtards. Que n'aurait-elle fait pour son maudit romano !

« Tu lui passes tout et ne me pardonnes rien ! »

Au fond d'elle-même, Maggie était partagée, déchirée entre son soutien indéfectible à un artiste qu'elle admirait et ses activités parallèles dont personne ne devait avoir vent.

Sa fabrique belge était devenue une plaque tournante de la Résistance qui se servait des automates pour faire circuler microfilms et explosifs. Sa vie parisienne lui servait de couverture. Les deux êtres qu'elle chérissait le plus, Jenny et Django, devaient rester dans l'ignorance totale de ce double jeu. Pour l'heure, Jenny avait d'autres soucis en tête et Django ne cherchait même pas à connaître la différence entre gaullistes et vichyssois. La guerre était une diablerie des gadjé et il était bien clair dans sa tête qu'il n'avait pas à s'en mêler. La tzigane attitude consistait à se tenir le plus en marge possible de ces gens, ennemis jurés de l'insouciance qui bouleversaient le vol des grues migrantes, fichaient le feu aux nuages, rougissaient les rivières et défonçaient les routes qu'il aimait suivre. Seule la musique ne subissait pas encore les outrages de cette violeuse arrogante. Et il ne voulait se consacrer qu'à elle.

27.

« Mon vieux Fouad, on va se faire un paquet d'oseille ! »

Au printemps 1941, Django et son quintette furent engagés chez Ledoyen pour égayer des thés dansants en alternance avec Gus Viseur et son ensemble, et Michel Warlop et son orchestre.

Si faire « tourner » de vieilles douairières enchantait modérément Django, le cadre impérial propice à la rêverie l'inspirait. Sans cesser de jouer, il matait à travers les grandes baies vitrées les longues jambes gainées des jeunes femmes qui remontaient et descendaient les Champs-Élysées sous les vertes frondaisons. Ce fut ainsi qu'un après-midi pluvieux et enchanté, il composa « Lentement Mademoiselle », l'un de ses morceaux les plus craquants. Rostaing, à la clarinette, reproduisait le déhanché des passantes tandis que Django, graduellement, insufflait à ce défilé un parfum d'érotisme.

Maggie continuait à lui crier au loup. Les nazis étaient des fous furieux, ils étaient en train d'organiser l'extermination massive des Juifs et des Tziganes. Django refusait de dramatiser.

Un jour, cependant, un client en colère vint troubler le charme discret du select établissement. Il voulait parler au « soi-disant » Django Reinhardt. Django alla le trouver et lui dit :

« Pourquoi soi-disant ? Django Reinhardt c'est moi. »

L'homme le prit de haut.

« Vous êtes un menteur, monsieur. Un menteur et un imposteur. J'ai été arrêté par la Gestapo et interrogé dans les caves du Majestic avec le vrai Django Reinhardt.

— Ah ! je comprends, dit Django. C'est un de mes nombreux cousins. Il a dû prendre mon identité pour se faire libérer.

— Parce qu'il suffit de prononcer votre nom pour que les portes des prisons s'ouvrent ! Vous avez des amis à l'ambassade allemande, rue de Lille ?

— Je suis musicien, c'est tout !

— Vous devriez avoir honte ! »

Maggie était sans cesse sur le qui-vive. Son amour du jazz lui faisait courir de gros risques et c'est en cachette qu'elle passait voir son ami qui ne soupçonnait rien de ses agissements.

Un soir, il l'emmena souper, près de l'Étoile, dans un petit restaurant où l'on mangeait des escargots en terrasse. Django épanoui, heureux, gonflait les joues en riboulant des yeux.

« Regarde, Maggie, Armstrong est en moi. »

Il lança quelques onomatopées et comme ça, au feeling, composa « Swing 42 ». Des officiers allemands qui soupaient à la table d'à côté applaudirent. Django les salua. Maggie était liquéfiée.

Ils rentrèrent au petit matin dans Paris désert... Il faisait encore tiède dehors, Django, chemise largement ouverte, se grisait de l'odeur des lilas répandue dans l'air. Il avait passé son bras autour de la taille de Maggie, presque amoureusement. Il connaissait un petit hôtel, pas loin. Ils pourraient y jeter l'ancre.

« Allez, arrête de te faire du mouron. Les Allemands ne sont pas si méchants. »

Aussi loin qu'on remontât dans l'histoire de son peuple, depuis les premières tribus Kshattriyas du nord de l'Inde, on avait pourchassé, martyrisé, génocidé les Tziganes déjà tant de fois.

Par l'une des bizarreries de son destin, il n'avait jamais été aussi libre et aimé que sous l'Occupation. Devenu copropriétaire de La Roulotte, ce cabaret de Pigalle rebaptisé Chez Django, il était applaudi tous les soirs par des SS et des agents secrets britanniques tapant du pied sous la table tandis que l'orchestre interprétait alternativement « Lili Marleen » et « God Save The Queen ».

« Ce sont les nomades que les Allemands arrêtent, moi, je suis un forain !

— Django, les Allemands vont massacrer tous les Tziganes parce que vous êtes des asociaux, que votre sang est considéré comme impur. Déjà, ils stérilisent vos femmes dans des hôpitaux à Munich. Ils les utilisent comme cobayes pour des expériences monstrueuses. Ils vous repèrent et ils vous forcent à porter un triangle noir. Le noir, Django, la couleur que tu abhorres.

— Comment sais-tu tout ça ?

— Je le sais. Et je te demande de me croire. N'ai-je pas toujours été avec toi ? »

Elle avait posé ses mains sur ses épaules et le forçait à la regarder.

« Tu as un trésor à protéger. Ce trésor, c'est ta musique. Il faut la mettre en sécurité.

— Tu sais, Maggie, je ne suis pas très intelligent, je demande à ma musique de l'être à ma place. Ma musique, à défaut d'arrêter la guerre, elle peut la faire un peu oublier... »

28.

À l'automne 1942, Maggie se rendit clandestinement en Angleterre. À Londres, on la présenta au Général auprès duquel elle prit des ordres. Elle en profita pour voir Jenny, sans bien sûr la tenir informée de la vraie raison de sa présence sur le sol britannique.

Elle ne reconnut pas sa fille tant le Blitz l'avait meurtrie et égarée. Les bombardements avaient fait plus de cinquante mille victimes. Jenny avait tenu la main d'hommes aux entrailles sanglantes, assisté des femmes démembrées, veillé des enfants aveugles ou rendus sourds par le vacarme des explosions. L'échange qu'elles eurent, dans la cour d'honneur du Saint Thomas Hospital, ne pouvait pas être tendre.

Jenny restitua sèchement à sa mère toutes les lettres qu'elle avait reçues d'elle, les jugeant d'une intolérable frivolité en ces temps d'abomination... Comment Maggie pouvait-elle s'amuser alors que le monde s'écroulait ? Elle ne changerait donc jamais : partante pour tout ce qui n'était pas grave et fuyante devant tout ce qui l'était.

Que la guerre fût plus sérieuse que la musique, voilà un sujet sur lequel Maggie se garda bien de philosopher. Son principal souci était de se protéger des verges qu'elle avait données à sa fille pour la battre et ce, sans trahir son secret. Les coups pleuvaient et Maggie encaissait, droite dans ses bottes.

« Et d'abord comment es-tu ici ? Qui t'a fourni un visa ?

— Je me suis arrangée.

— Arrangée avec qui ? Tes amis boches amateurs de jazz et de java ?

— Je comprends ce que tu ressens, ma fille.

— Tu comprends ? Mais qu'est-ce que tu comprends ? Est-ce que tu comprends que tous les gens de ton espèce me font horreur, que je voudrais n'avoir aucun lien avec toi ? »

Maggie cligna des yeux sous la violence des mots. Elle revoyait Django chez Jane Stick se baisser pour éviter les assiettes qui volaient dans tous les sens. Sauf que là, elles ne jouaient pas. Elle choisit de remettre les explications à plus tard, cette guerre, ils allaient finir par la gagner et ils auraient tout le loisir de faire le point une fois que les armes se seraient tues et que chacun aurait pansé ses plaies. Elle dit qu'elle avait peu de temps devant elle, il fallait qu'elle s'en aille...

« Eh bien, va-t'en. C'est encore ce que tu sais faire de mieux, non ? Moi aussi je dispose de peu de temps, mes blessés m'attendent. »

Maggie insista pour que Jenny conserve ses lettres. Elle pourrait les brûler ou les relire plus tard, quand tout serait fini !

« Pourquoi fais-tu tout ça, maman ? Pourquoi ? »

Sans répondre, Maggie tourna les talons et traversa la cour, envahie d'ambulances et d'estafettes, en direction de la Tamise. Jenny la regarda s'éloigner, frêle dans sa blouse d'infirmière, les yeux si brûlants de haine et de chagrin qu'ils demeuraient secs.

Maggie passa voir Grappelli. Le malade imaginaire la reçut dans sa chambre d'hôtel. Il demanda des nouvelles de Django. Portait-il toujours ces souliers cardinalesques qui juraient tant avec son smoking blanc ? Maggie s'étonna qu'il eût retenu ce détail plutôt qu'un autre.

« Le style fait l'homme, dit Grappelli, et il me semble que le sien, de style, tient dans les contrastes. J'ajouterais que pour un musicien, c'est un compliment. Alors, que devient-il ? »

Sans rien dissimuler, elle conta à grands traits la joyeuse vie du guitariste sous l'Occupation.

« Il est content de son nouveau quintette à anches même si... il regrette votre association. Il ne t'a encore trouvé aucun remplaçant satisfaisant. Son rêve est de diriger un grand orchestre, avec des mélodies à lui. »

Stéphane écoutait en silence sans se départir de son petit sourire.

« Et toi, lui dit-elle, tu travailles ?

— Disons que je ne laisse pas rouiller la mécanique. Il y a de bons musiciens ici, à Londres. Dis-moi, est-ce qu'il compose ?

— Django ? Je pense que oui mais ce sont des créations volatiles vu qu'il est incapable de transcrire. »

Stéphane laissa passer un long silence avant de déclarer :

« Django a réalisé des choses impossibles justement parce qu'il ne savait pas qu'elles étaient impossibles.

— Pourquoi "a réalisé" ? Tu penses que sa vie est derrière lui ?

— Je m'interroge simplement sur la perception que Django a des choses et des gens, s'il se rend tout à fait compte de ce qu'il fait ou de ce qu'on veut qu'il fasse. Je m'interroge aussi et surtout sur la suite de nos carrières respectives, si suite il y a. Tout dépendra de l'issue de la guerre. Tout dépendra aussi de notre état, si par chance nous nous en sortons vivants. Les Anglais ont un mot pour ça : *mood*. Dans quel monde et dans quel mood nous trouverons-nous lorsque nous nous reverrons ? »

Dans le sous-marin qui la ramenait en France, Maggie ruminait les paroles de Grappelli. Oui, dans quelles dispositions seraient-ils, Django et lui, à supposer que les choses s'arrangent ? Auraient-ils envie de retravailler ensemble ? Elle craignait de plus en plus qu'à force de jouer avec le feu Django finisse à Buchenwald ou Ravensbrück. Chaque note prolongeait l'instant. Encore une minute, monsieur le bourreau...

29.

« Combien gagnent Cary Grant et Tyrone Power ? Je veux palper comme eux car moi aussi je suis une grande vedette. »

Alors que Paris vivait les heures les plus sombres de l'Occupation, Django multipliait les caprices et les provocations. Il fallait palabrer des heures pour le ramener sur terre.

À d'autres moments pourtant, il était absolument charmant et acceptait de jouer pour rien. Tout dépendait de son humeur et nul ne pouvait la prévoir. Avec Django, un jour ne faisait jamais le lendemain. Vous le quittiez euphorique et le retrouviez déprimé, le moral dans les chaussettes. Il arrivait de plus en plus fréquemment qu'il se fâchât avec ses comparses. Il ne voulait plus parler à Pierre Fouad qui n'avait pas voulu l'accompagner à un mariage gitan. Il se brouilla avec Rostaing alors que celui-ci demandait – encore qu'avec beaucoup de circonlocutions et en se tortillant les doigts – d'être un peu mieux traité. La société de production Django's music engrangeait de coquettes royalties et les musiciens étaient en droit de réclamer une petite augmentation ! Rostaing le collaborateur en or, instrumentiste exceptionnel, n'aimait pas se mettre en avant, raison pour laquelle Django l'appréciait. Mais quand l'esclave se rebiffa, le Manouche le prit très mal. L'imprésario du groupe essaya de le fléchir. Il ne réussit qu'à décupler sa fureur.

« Si Hubert n'est pas content, qu'il retourne d'où il vient. Ah ! le rat, est-ce qu'il se souvient d'où je l'ai tiré. Sans moi, il n'existerait pas ! »

Avec Fouad il se rabibocha, avec le rat ce fut plus délicat, il y aurait des hauts et des bas jusqu'au claquement de porte final. Django avait fait la connaissance d'un autre clarinettiste, Gérard Lévêque, plus jeune que Rostaing et donc plus malléable. La coquille d'œuf lui collait encore au duvet, Django le prit sous son aile et le chargea de retranscrire sa musique. Une tâche passionnante qui allait bientôt faire de Gérard le scribe attitré du compositeur analphabète.

Ceux qui le connaissaient le laissaient dire. Après les concerts ou les enregistrements, ils savaient qu'ils se referaient la cerise au billard, terrain sur lequel, là encore, Django se montrait un compteur ou un comptable extravagant. Il insistait pour rendre des points à ses adversaires. Ce sentiment qu'il surpassait tout le monde, il le payait cash car, au bout de la nuit, c'était toujours lui qui se faisait repasser. Ce que ses partenaires n'arrivaient pas à lui extorquer sur scène, ils le reprenaient sur les tapis verts.

Mais l'heure n'était plus à la liesse. Face à la cruauté des nazis, l'insoutenable légèreté de Django ne passait plus. Paris devenait dangereux pour un Manouche, si célèbre fût-il. Le quintette décida de prendre du champ et partit en tournée.

Un soir, à l'étape, Django dîna d'un hérisson bouilli qui était un peu sa madeleine de Proust. Ses voisins à l'auberge lui demandèrent ce qu'il mangeait avec autant d'appétit.

« On dirait du ragondin !

— *Ach moun*, mon frère, répondit Django, c'est comme du ragondin en plus fort. »

Au Palais de la Méditerranée à Nice, Django gagna, paraît-il, en une seule soirée 350 000 francs qu'il reperdit dans la foulée au casino. Il était tellement pressé d'aller taquiner la boule qu'il refusa les *bis*, s'attirant les sifflets du public.

Ils prirent le bateau pour le Maghreb et durent donner un concert à bord mais la mer était si mauvaise que Django débarqua à Alger vert comme un lavement. Il refusa de jouer, en matinée comme en soirée. En fait, la musique qui revenait à heure fixe lui donnait la nausée. Le roulis de la routine. Sa phobie des Arabes ne l'avait pas lâché depuis qu'il s'était perdu dans la casbah à l'âge de quatre ans. Il refusait de quitter sa chambre, arguant qu'il ne pouvait travailler sous ce cagnard. Bref, tous les prétextes étaient bons pour déroger à ses obligations. Écourtant le voyage, il rentra en France au moment où les Alliés débarquaient en Afrique du Nord.

À Bruxelles, le succès ne se démentit pas. Django était l'enfant du pays et ne se cachait pas pour le faire savoir. Mais les tournées en pays wallon étaient pénibles, éprouvantes. Les trains bondés s'arrêtaient des heures en rase campagne parce que les Allemands procédaient à des contrôles. On repérait vite ceux qui voyageaient sans papiers. Django connaissait bien l'odeur de la peur. Une odeur de renard fuyant devant les rabatteurs en tunique rouge de lord Mountbatten. Django renardait dur.

Pour tromper son angoisse, il s'essaya aux autos-scooters et aux premières machines à sous, des Liberty Bell qui fonctionnaient avec un jeton percé d'un trou. Les gagnants remportaient des bricoles, des brimborions. Aussi Django sortait-il des casinos avec des chronomètres en or plein les poches et sa femme arborait-elle des bracelets aux poignets et aux chevilles.

« Que tu es belle, ma Guiguine, lui dit-il un soir qu'il traversait la Grand-Place avec leurs amulettes. Veux-tu m'épouser ? »

Naguine crut qu'elle hallucinait.

« C'est à toi qu'il faut poser la question.

— Quelle question ?

— Comment ça, quelle question ?

— Je ne vois pas de quoi tu veux parler.

— Mais tu viens de le dire à l'instant !

— Qu'est-ce que j'ai dit ?

— Tu te fiches de moi.

— Pas du tout. Qu'est-ce que c'était ?

— Est-ce que tu veux m'épouser ?

— Ah, ce n'est que ça ! Pourquoi ne le disais-tu pas ? Bien sûr que je veux t'épouser, *mur kampélen*, mon amour ! »

Elle avait déjà la bague au doigt, une alliance de pacotille qui pour eux valait tous les carats.

Le ton mutin n'arrivait pas à dissimuler son extrême anxiété. Il avait les paumes moites, le souffle court. Tout à coup, il porta une main à son plexus. Chaque bouffée d'air enflammait ses poumons. Toute la nuit, elle le tint serré dans ses bras. Au matin, l'alerte était passée.

En juillet 1943, après quinze ans de hardi compagnonnage, de caravaning musclé, Django et sa No lady convolèrent en justes noces à Salbris, Loir-et-Cher, en présence du manager du quintette qui voyait là une bonne raison de mettre un peu de plomb dans la tête de sa star girouette.

Aussitôt après, Django fit son entrée au cirque Medrano.

« Maintenant que j'ai fait le singe à l'église, j'y ai toute ma place ! »

Toujours tenté par les effets de scène, les entrées à l'américaine, il décida de se faire descendre des cintres juché sur un gigantesque croissant de lune...

« Ça fera très Mary Poppins ! »

Mais au moment de procéder aux premiers essais, Django se mit à pétocher et préféra faire son entrée sur un praticable monté sur rails.

30.

Au cours de l'été 1943, les choses se gâtèrent sérieusement.

Le hurlement de loup-garou des sirènes éclatait au beau milieu de la journée ou en plein cœur de la nuit.

Django habitait à deux pas du métro Abbesses, le plus profond de la capitale :

« Trente-six mètres au-dessous du niveau de la mer, mon frère ! » confiait-il à Gérard Lévêque, dit La Plume en l'entraînant dans les escaliers en colimaçon de ce qui allait devenir son quartier général.

Devançant parfois les alertes, il plongeait sous terre avec des biscuits de survie (à base de sciure de bois) et plusieurs couvertures. Désormais, ses musiciens devaient se transformer en spéléologues pour répéter ou roder des morceaux nouveaux. La Plume, membre à plein temps de ce quintette underground, continuait à retranscrire la musique de Django. Originaire de la bonne bourgeoisie provinciale, fraîchement débarqué de son Valenciennes natal, La Plume avait bien du mal à se faire aux façons du Manouche qui l'obligeait à vivre à ses côtés nuit et jour, dans les trémulations des rames et les odeurs de pisse, de soufre et de champignon, pour recueillir la moindre de ses trouvailles acoustiques. Django jouait sur sa guitare les parties destinées à chaque instrument et La Plume les relevait sur du papier à musique. Ils ne s'arrêtaient que pour boire et manger. Django appréciait ce calligraphe modeste, dévoué et efficace.

« Avant toi, mon frère, j'étais un musicien sans papiers ! »

Enchaînés l'un à l'autre, ils firent les arrangements de « Belleville » et d'« Oubli ». Surtout, ils commencèrent à plancher sur ce qui aurait dû être le grand œuvre de Django : « Manoir de mes rêves ».

Étrange titre pour un compositeur qui n'aimait que les maisons sur roues. De la pure architecture sonore. L'esprit nomade y soufflait librement. Là, tout n'était que calme, douceur et irréalité. Tellement irréel que cette symphonie resterait à l'état de projet. Le chef d'orchestre, Jo Bouillon, recula devant la hardiesse des accords et le modernisme de la musique. Les chœurs n'étaient pas achevés et Jean Cocteau, qui devait en écrire les paroles, ne fut jamais relancé. « Un sacré bouillon ! », pour reprendre la formule de La Plume à propos de ce « manoir écrit dans un souterrain ».

Django traitait La Plume comme l'un des siens et le faisait largement profiter des denrées acquises au marché noir. Il n'aurait pas compris que ce jeune homme de bonne famille gardât pour lui seul les colis que sa mère lui faisait parvenir. Il devait partager lui aussi avec les cousins sans gêne et gloutons toujours accrochés aux basques de Django.

Ce que La Plume retint de cette immersion est que la musique de Django, intériorisée, en prise directe avec ce qu'il vivait, avait un caractère autobiographique. Chaque mélodie traduisait les états d'âme du moment et l'artiste, toujours en mouvement, s'employait à fixer des fuites, des fugues, des vagabondages.

Du jambon fumé, du beurre, des œufs arrivaient au domicile de Django ! Un chasseur les apportait dans de grandes panières en jonc recouvertes d'un torchon. Où le Manouche se procurait-il ces merveilles ? « Je me suis débrouillardé », disait-il.

Il en voulait toujours plus, non pour satisfaire sa boulimie mais pour régaler ses amis et sa famille.

Un pâle jeune homme au regard triste venait parfois le visiter.

« Tu connais mon fils l'Ourson, disait-il à La Plume.

— Ton fils ?

— C'est surtout celui de sa mère, Bella Baumgartner, même si j'ai un peu contribué, comment dire…

— À sa conception.

— C'est ça ! »

Il faisait jaillir une liasse de billets et la tendait au chasseur.

172

« Allez nous chercher des croissants et des brioches. Mon fils aime ça, hein mon l'Ourson !

— Mais monsieur, c'est le Pérou ! se lamentait le coursier.

— Au Pérou, on boit du café. Vous m'en rapporterez aussi un kilo, et du meilleur. »

La Plume en était sidéré.

Django tendait une guitare au fiston, il prenait la sienne et tous deux se mettaient à improviser sur des rythmes sud-américains.

« Allez, note ! » lançait-il à son scribe.

Était-ce en mars que l'orchestre de Fud Candrix vint à Paris et que Django en profita pour enregistrer avec lui quelques arrangements de sa façon ? Toujours est-il que Django piaffait de jouer avec un grand orchestre, lui qui souffrait des limites musicales du quintette.

« C'est comme si je passais de ma bassine à l'océan ! »

Il rêvait vraiment à quelque chose de plus grand.

La cadence, il fallait tenir la cadence.

Lorsqu'il jouait, on le sentait dur comme un tank.

Dès qu'il quittait le rond de lumière blanche, il redevenait un homme errant, en proie à ses démons.

À l'issue d'un concert à Bruxelles, il rencontra un julot qu'il trouva marrant et qui lui proposa une partie de poker dans un clandé, place Louise.

173

Il y entraîna La Plume et l'Ourson, leur expliquant qu'un bon joueur devait cacher son jeu en se faisant passer pour un cave. L'ennui est qu'il s'était si bien glissé dans le costume du pigeon qu'il lui collait à la peau. La partie avait été minutieusement truquée à l'avance. Ils étaient deux, trois de connivence, des truands de la plus belle eau qui firent cracher cinquante mille francs à Django.

31.

« Je ne suis jamais fatigué de jouer, mais travailler me tue ! »

Surtout lorsque la commande émane de la Kommandantur. Est-ce Docktor Jazz en personne qui insista pour que le quintette aille faire une tournée en Deutschland ? Un échange de bons procédés : on vous a laissés tranquilles, vous nous devez bien ça. Le maréchal Goering serait ravi de vous écouter. Ou bien cet article paru dans *La Gerbe*, le 15 juillet 1943, dont La Plume lui donna lecture.

« MUSICIENS, ATTENTION !

Les musiciens tant de Paris que de province qui seraient désignés pour le service du travail obligatoire, doivent se rendre chez M. Verner, 52, Champs-Élysées, 4e étage, qui leur donnera tous les renseignements utiles afin qu'ils puissent être engagés par de grands orchestres d'Allemagne. »

Django refusa tout net de se plier à cet ukase. Là-dessus, il s'était toujours montré intraitable. Trouillard pour certaines choses et suicidaire pour d'autres.

Maggie approuva ce choix.

Elle venait de se brouiller définitivement avec Albert Préjean, lequel, en compagnie d'autres artistes comme Loulou Gasté, Raymond Souplex, Édith Piaf et Viviane Romance, n'avait rien trouvé de mieux que d'aller poser devant la porte de Brandebourg à Berlin à l'occasion d'un voyage, organisé par la Propagandastaffel, censé promouvoir la culture française.

Après avoir reçu la visite de la Gestapo, la fabrique de jouets de Maggie avait été passée au lance-flammes. Prévenue quelques jours plus tôt, elle avait mis ses chers automates à l'abri et rejoint le maquis de Haute-Savoie.

Pour Django, l'étau se resserrait. Les Allemands cherchaient à l'embrigader, Naguine venait de lui apprendre qu'elle était enceinte et Maggie ne mentait pas en affirmant que les SS arrachaient les enfants tziganes du ventre de leur mère. Un certain docteur Mengele pratiquait ce genre d'avortements. Pour couronner le tout, le 3 septembre, un bombardement sur Paris et sa banlieue avait fait quatre-vingt-six morts et cent quatre-vingt-six blessés. Sans doute cette combinaison de facteurs avait-elle provoqué le repli de Django sur les bords paisibles du Léman. Enfin, pas si paisibles que cela, si l'on s'en réfère au journal de Maggie alors réfugiée à Perdtemps, un village perché.

5 octobre

Les chasseurs d'hommes se sont emparés de quatre combattants de l'ombre. Depuis des heures, ils sont enchaînés et exposés là, sous l'enseigne de la boucherie Monier, au centre du village. Deux sentinelles en armes les encadrent. Il est impossible de leur parler ou de leur donner à boire. Lorsque le soir vient, les Allemands les font descendre dans une cave qui donne sur la place de l'Église. Par provocation, après en avoir fermé la porte, ils laissent ostensiblement la clé dans la serrure à l'extérieur. Ils se couchent, abandonnant les martyrs sans surveillance. Personne n'ouvre la porte. Tous, nous savons que ce serait signer l'arrêt de mort du village. La population serait illico chargée dans des camions et conduite à Nantua pour être envoyée dans le pays d'où l'on ne revient pas. Au matin du dimanche, les quatre malheureux sont tirés de la cave et abattus sur le parvis de l'église juste au moment où les villageois sortent de la messe.

Je sais qu'à chaque fois que nous menons une opération, le prix à payer pour sauver une vie sera une ou plusieurs autres vies. Néanmoins, il faut poursuivre la lutte...

En fuyant la capitale, Django avait bien l'intention de passer rapidement en Suisse. Il pouvait compter sur Maggie pour l'aider à s'expatrier. Avec son réseau frontalier, n'avait-elle pas participé à l'évasion de Pierre Mendès France et de Jacques de Gaulle, le frère du général ? Paralysé par une maladie, ce dernier avait, paraît-il, franchi les montagnes à dos d'homme. Alors ce qu'un handicapé avait fait, un semi-handicapé pouvait le faire. La fuite des Reinhardt avait été soigneusement orchestrée.

Comme beaucoup d'autres Français, des Manouches avaient fui la zone occupée pour se réfugier plus au sud. Parmi eux, une famille de musiciens que Django connaissait depuis l'époque des fortifs, les Hoffman, campait sur la place de Crête, à Thonon-les-Bains, depuis sept ou huit mois. Django et les siens devaient les rejoindre au début de l'automne 1943.

Au volant de sa grosse Buick 33 CV qui consommait plus de cinquante litres au cent, Django, toujours sans permis ni assurance, tomba en panne sèche à Annecy.

Les naufragés avertirent leurs « cousins » et prirent le train. Toute la tribu Hoffman les accueillit à la gare de Thonon. Rossignol les accompagnait. Il avait dix-neuf ans et avait découvert Django grâce aux émissions de la Radio suisse romande. C'était le contact que Maggie avait trouvé sur place pour veiller sur l'artiste. Rossignol sifflait par cœur tous les airs du Manouche. D'où son nom de code.

Provisoirement, les Hoffman hébergèrent les Reinhardt dans leurs roulottes tandis que Rossignol réglait les derniers détails de l'évasion avec une famille de ferrailleurs qui possédait une entreprise de métaux à Genève. Leur camion pouvait, sans être trop inquiété, franchir la frontière.

Mésange conduirait. Elle aurait le visage noirci au charbon. Tous ces noms de volatiles plaisaient à Django qui s'autoproclama Oiseau des îles en souvenir d'une de ses mélodies, appela sa femme Hibou et sa mère Corbeau.

Mésange tomba-t-elle sur un fonctionnaire trop zélé au poste de douane ou quelqu'un avait-il vendu la mèche ? Toujours est-il qu'elle se vit signifier l'ordre de faire demi-tour et cette première tentative tomba dans le lac.

Django constata qu'il ne lui serait pas si facile que ça de passer en Suisse. Rossignol lui conseilla de s'armer de patience. C'était reculer pour mieux sauter. Django devrait seulement ronger un peu son frein dans cette petite station thermale.

Les Hoffman travaillaient dans un café, le Savoy Bar. Habillés en tziganes, ils jouaient des airs de Brahms ou de la musique populaire hongroise. Ils parlèrent au patron de Django qui vint discuter des conditions de son engagement. Django se fâcha tout rouge quand il fut question de ses émoluments. Mettant en avant sa notoriété et assurant qu'il ferait salle comble, il réussit à extorquer mille cinq cents francs par soirée.

13 *octobre*

Le soir, depuis ma chambre, je regarde avec tristesse Genève, la grande ville libre, illuminée, si proche et si lointaine. Je me console en pensant à ceux que nous aidons à faire passer de l'autre côté, ces réfugiés, ces juifs, ces enfants promis aux crocs de l'ogre... La patronne de l'auberge de Perdtemps me traite comme sa fille. Je me suis très vite faite à la vie du petit bourg et chacun me considère comme une vraie Savoyarde.

16 *octobre*

Chacun doit demeurer cloîtré dans sa maison.
Seul le pas cadencé des patrouilles perce la nuit. J'entends du bruit au rez-de-chaussée. Je souffle ma bougie. À demain, cher journal, si Dieu le veut...

19 *octobre*

Bien que soit menacé de prison quiconque écoute « Ici Londres », chaque soir à 20 h 30, à l'heure des premières mesures de la Cinquième Symphonie *de* Beethoven, *les conversations s'arrêtent, les oreilles se tendent près des postes à galène, malgré l'infernal brouillage allemand.*

20 *octobre*

Il n'est pas permis de se distraire et de s'amuser alors que la Wehrmacht combat pour l'Europe. C'est ainsi que les bals, les réunions, les fêtes sont interdits, comme sont interdits les rassemblements de plus de dix personnes dans la rue. Finies, les soirées musicales chez le docteur Farge. Son piano à queue sert de tinettes aux Schleus. Ce n'est plus la montagne des hordes pique-niqueuses, des demoiselles babillardes montées sur des ânes, venues profiter du bon air... La mort a investi les alpages.

25 octobre

Nous vivons dans la hantise du contrôle qui nous poursuit partout. Que répondre si la fameuse carte a été volée ou si on l'a égarée ? La carte est indispensable partout, même si l'on veut franchir le pont du village. Sinon, nous devons posséder un Ausweis, un permis de circuler fourni par ces messieurs de la Kommandantur.

Les cheminots dont le travail est nécessaire aux Allemands bénéficient d'une carte de passage permanent à tous les postes frontières. Aidés par le travail extraordinaire des gens du rail, les maquisards plastiquent les voies ferrées pour empêcher le passage des trains blindés.

28 octobre

J'ai eu des nouvelles de D par Rossignol.

Il joue au Savoy Bar accompagné par la famille H. Le père tient le violon (un vilain crincrin), les fils les guitares d'accompagnement (d'horribles casseroles). D se montre exigeant avec ses comparses manouches. Un contrat est un contrat. Les

*gens ont payé pour écouter de la bonne musique.
Les premiers jours, ils ont joué devant une salle
clairsemée. Seuls quelques lycéens et des zazous
réfugiés à Thonon sont venus par curiosité. Je
connais D, qu'il y ait cinquante clients ou trois
tondus, il doit donner son meilleur. Mais les H
ne sont pas de bons musiciens et D a fait venir
à Thonon La Plume et Haricot, son nouveau
drummer. Le Savoy Bar ne désemplit plus. Soldats allemands et jeunes gens en mal de distrac-
tion s'y retrouvent aux alentours de 18 heures.
Ils jouent « Saint Louis Blues », « Nagasaki »,
« After You've Gone », « I've Found a New Baby »,
« China Boy », « Some of These Days »… Autant
d'airs que je connais par cœur et me surprends
à murmurer dans la pénombre de ma mansarde.
Dans ces moments-là je pense à toi, Jenny. J'aimerais tant te retrouver ma chère fille, unies dans
cette musique dont chaque note est une jouissance.
Un jour, j'espère, tu comprendras pourquoi j'ai si
passionnément aimé cet homme.*

Après le spectacle, vers vingt-trois heures, Django
et ses musiciens prenaient leur repas dans le
restaurant contigu au Savoy. Django mangeait
« comme Gargantua » aux dires des propriétaires,
un jeune couple de résistants qui se servaient de
leur cave comme cache d'armes.

Il était assez froid, distant, parlant peu, sauf
quand il avait un verre dans le nez. Là, il avait
tendance à ne plus se contrôler. Rossignol veillait.

Plusieurs fois, il le ramena bien imbibé jusqu'à la petite maison qu'il louait, 18, rue du Chablais.

En dehors du Savoy Bar, il participa à plusieurs concerts privés, en particulier chez le comte de Sonnaz qui lui offrait, dit-on, quatre mille francs par soirée.

Autour de minuit, on pouvait le croiser au Café du Général, place du Château, qui possédait une très belle salle de billard. Il jouait toujours avec la même queue qu'il avait marquée d'une encoche. Un soir, il perdit tellement qu'il faillit vendre sa Selmer blanche pour payer ses dettes. Une fois de plus Rossignol lui sauva la mise. La prochaine évasion était pour bientôt. Qu'il se tienne un peu à carreau.

Mais les jours passaient sans que rien ne bouge. Il était devenu une figure connue. On le saluait dans la rue. Les Allemands qui allaient l'écouter au Savoy Bar lui demandaient des autographes. Pourquoi aurait-il refusé ? C'était la meilleure façon d'avoir la paix.

Il donna une interview au journal local et assura qu'il était en Savoie pour travailler avec son scribe à sa messe pour ses frères romanichels. Le prêtre de la basilique Saint-François avait mis son orgue à leur disposition.

Django se levait à midi, descendait sur le port et parfois aidait les pêcheurs à relever leurs nasses tandis que Naguine (remuée par sa grossesse) nourrissait les poissons. Les soirs de relâche, ils allaient au cinéma, comme au bon vieux temps.

À l'attaque des diligences, Guiguine se serrait contre son mari. Les mélos leur arrachaient des larmes. On était bien, doigts entrelacés, dans le noir. Puis, dans la nuit, ils rentraient légèrement saouls de toute cette magie bue par les yeux. Les paroles résonnaient longtemps en eux, comme cette tirade de Jules Berry dans les *Visiteurs du soir* : « Oublié dans son pays, inconnu ailleurs, tel est le sort du voyageur. »

Ce film de Marcel Carné, où Satan délègue deux de ses suppôts déguisés en ménestrels pour semer la désolation sur la terre, les emplissait de perplexité. Comment des saltimbanques, des musiciens ambulants, bref des gens comme eux, pouvaient-ils faire le malheur de l'humanité ?

De riches industriels, les Schwartz, avaient fait construire à Amphion, aux portes d'Évian, une fastueuse demeure baptisée La Folie. Ils adoraient recevoir. Django, La Plume et Haricot y donnèrent un récital contre un bon souper.

Des Allemands étaient présents.

Ils fumaient le cigare et riaient.

3 novembre

L'armée allemande sans cesse harcelée par les opérations du maquis devient encore plus féroce, comme une bête blessée. Chaque jour qui se lève nous réserve son lot d'inquiétudes. La peur suinte partout. Hier, les Schwartz ont été dénoncés comme

*juifs par le fils de leur jardinier. Direction Nantua.
À Habère-Lullin, en pleine montagne, des jeunes
gens dont le seul crime était d'avoir voulu fêter un
anniversaire par un bal clandestin ont été exécu-
tés au pistolet-mitrailleur puis arrosés d'essence et
brûlés. Plusieurs d'entre eux avaient applaudi D
au Savoy Bar. Et ils avaient sa musique dans la
peau lorsque leurs bourreaux ont surgi.*

4 novembre

*J'essaie d'avoir des nouvelles de D mais Rossignol
ne siffle plus... Tout devient confus, cadenassé.
Les contacts ont du mal à se faire. Les camarades
sont maintenant assez réticents à aider D. Ils se
demandent comment sans papiers, sans permis de
conduire, il a pu se rendre jusqu'ici. Ils sont per-
suadés qu'il a des protecteurs haut placés. Je me
porte garante de lui. Mais ce qu'on raconte à son
sujet ne me facilite pas la tâche.*

6 novembre

*Hier, j'ai cru que c'était fini. La porte de la
cuisine est brutalement poussée d'un magistral
coup de botte. Un soldat allemand, la démarche
alourdie par tout son barda, a pénétré dans la
pièce. Sans un mot, il a posé sur la table son sac
à dos, son fusil, ses munitions et une grenade à
manche. Il a farfouillé dans l'une de ses poches
et, tout en s'asseyant, a déposé sur la table deux
oreilles coupées (de toute évidence humaines) ainsi*

qu'une prothèse dentaire avec de l'or. Je n'ai pas eu le temps de m'émouvoir de cette mise en scène macabre. L'Allemand a tapé sur la table et a crié « Trinken ». Il avait soif. Il a bu et roté. Il a repris son sac et ses armes en prenant bien soin de ne pas oublier ses trophées. Il est parti comme il était arrivé.

Un peu plus tard, on a entendu des piaillements et des détonations. Le soir, il était de retour avec plusieurs de ses congénères qui portaient à leurs ceintures des poules et des lapins abattus à l'arme automatique. Nous avons été désignés pour dépouiller les lapins, plumer et vider les poules. Nous nous sommes mis au travail sous la surveillance d'une sentinelle et de son chien qui salivait à la vue des viscères.

10 novembre

Victoire. D a rendez-vous avec le passeur à 16 h 30 dans un café de Vongy. Je prie pour que cette fois tout se passe bien.

32.

Oiseau des îles, Hibou et Corbeau quittèrent Thonon entre chien et loup. Le passeur les attendait dans un café où des soldats allemands se trouvaient attablés. Ceux-ci les suspectèrent aussitôt et les arrêtèrent. Conduits à l'hôtel Europe, siège de la Feldgendarmerie, Django dut se soumettre à la fouille. Le seul papier qu'il put produire était sa carte de la Société des auteurs et compositeurs de Grande-Bretagne. Il n'en fallait pas plus pour être accusé d'intelligence avec l'ennemi.

Transféré au matin à Thonon, il traversa la station thermale entre des soldats en armes, sous les yeux des habitants qui pensèrent qu'il appartenait à la Résistance et lui en vouèrent une grande admiration. Conduit à la maison d'arrêt, il crut bien que c'était le terminus du voyage.

« Mon cher Reinhardt, que faites-vous là ? »

Le commandant allemand chargé d'interroger Django l'avait applaudi quelques jours plus tôt chez les Schwartz. Il le fit aussitôt libérer. Après ce coup de théâtre, les maquisards étaient plutôt tentés de lui faire la peau...

Rossignol vola une fois de plus au secours de Django. Une troisième évasion suivit de quelques heures la seconde… Cette fois, il fut décidé que Naguine et Négros n'y participeraient pas. Trop dangereux. Elles se cacheraient chez un paysan de Champanges avant de rejoindre Paris où elles seraient plus en sûreté.

Rossignol avait contacté un nouveau passeur qui, après le paiement de cinq cents francs, accepta de conduire Django dans la région boisée de Veigy, une des filières les plus utilisées.

Là, s'élevait une petite chapelle. Le passeur y introduisit Django en lui demandant de faire vite. Une ombre se tenait au fond, juste sous la niche contenant une statue de la Vierge Marie. Django ne bougea pas. Maggie vint vers lui. Elle effleura son cher visage, lentement, comme pour le graver dans ses paumes. Django respirait avec peine, chaque goulée d'air lui arrachait les amygdales. Elle constata que les lacets de ses galoches étaient défaits, ce qui arrivait constamment lorsqu'il n'avait personne pour veiller sur lui. Elle se baissa et fit les nœuds. Django paraissait tout racorni, dans ses habits roidis par le gel.

D'un geste un peu martial, elle lui fit redresser les épaules et attacha les oreilles de sa chapka. Dans les yeux de Maggie, il y avait un amour infini. Dans ceux de Django brillait la fièvre du fugitif.

Ils restèrent encore un court instant face à face, dans la lueur tremblante des cierges votifs, sans échanger un mot. Qu'aurait-elle pu lui dire ? Qu'elle s'était engueulée à son propos avec le chef des maquisards et qu'elle prenait de gros risques en agissant dans son dos ? Django devait rester en dehors de cette guerre et ne songer qu'à sa musique. « Allez va, file, un jour nous nous retrouverons, au Jimmy's Bar ou ailleurs et il fera beau. »

Il sortit et se mit à marcher derrière le pisteur sans se retourner.

« *Latcho Rom !* murmura-t-elle dans un souffle, Bonne route ! »

Le 24 novembre 1943 vers dix-sept heures, le passeur fit franchir les barbelés à Django et le laissa poursuivre seul. Mais à dix-sept heures dix, une patrouille spécialisée de l'armée suisse l'intercepta vers la borne 185, à un kilomètre à l'est du petit village helvète de Gy. Interrogé au poste, Django donna comme raison de sa fuite son refus de se produire à Berlin.

« Vous êtes déserteur ? lui demanda-t-on.

— Non, je n'ai pas fait mon service militaire.

— Pourquoi ?

— Je suis invalide. »

Il montra sa main gauche.

« Vous êtes réfugié politique ?

— Je ne fais pas de politique. Je suis musicien.

— Avec une seule main ?

— Je me suis adapté !

— Vous n'êtes pas juif ?

— Non.

— Vous n'êtes pas noir ?

— Je suis tzigane. »

Les Suisses consultèrent le règlement. Cette bête-là n'étant signalée nulle part, ils s'opposèrent à son passage. S'ils l'avaient remis à une douane française, l'arrestation, l'emprisonnement et la déportation auraient suivi. Mais les patrouilleurs n'eurent pas recours à la procédure habituelle. Django sortit de sous son manteau une trentaine de livrets de papier à cigarette Job, une denrée fort rare en Suisse. Rossignol lui avait fourni cette monnaie d'échange au cas où... Les gardes acceptèrent le précieux papier et après avoir donné une collation au fugitif, ils le reconduisirent le même soir, à vingt heures quinze, près de la borne 208, sur le chemin Gy-Foncenex.

Django Reinhardt, au long de sa vie, fut certaines fois desservi d'une façon formidable, et d'autres fois gâté d'une manière extraordinaire. Son salut n'avait ici tenu qu'à une feuille de papier Job.

Django repartit donc d'où il était venu, dans la nuit. La neige avait recouvert l'empreinte de ses pas. Il erra à travers les rangées de sapins à la recherche de la petite chapelle au clocher pointu où Maggie lui était apparue. Il ne reconnaissait rien. Incapable de retrouver la brèche par laquelle il s'était faufilé, il tourna longtemps en rond, se heurtant aux rouleaux de fil de fer barbelé séparant les deux pays.

Il s'énerva, s'affola, s'entortilla, se déchira, s'arracha.

En sang, il se traîna chez Rossignol qui le cacha, le soigna puis fit en sorte qu'il puisse rallier Pigalle où sa femme l'attendait. Avant de quitter la Savoie, Django demanda des nouvelles de Maggie. Rossignol se tut. Puis il alla chercher une grande enveloppe que la patronne de l'auberge de Perdtemps lui avait donnée. Elle contenait les médailles de l'Archange ainsi que le journal de Maggie. Django tourna les pages noircies d'une écriture penchée.

« Je ne sais pas lire ! dit-il, la voix enrouée.

— Elle avait des enfants ? demanda Rossignol.

— Une fille. »

33.

Paris, août 1944.

« *Where is Django* ?

— Monsieur Reinhardt n'est pas ici ! affirma le barman du cabaret que tenait Django à Pigalle.

— Où peut-on le trouver ?

— Essayez rue Chaptal. »

Il régnait dans la capitale un climat bizarre, entre kermesse populaire et règlements de comptes. Les crépitements des feux d'artifice se confondaient avec les rafales de mitraillettes, stoppant net les tentatives de fuite de collabos ou supposés tels.

Les GI étaient acclamés en sauveur. Grâce au développement de l'industrie du disque, la renommée de Django Reinhardt avait déjà franchi l'Atlantique. La rumeur l'avait dit mort. Pourtant, des affiches signalaient ses concerts. Les Cognac-Mademoiselle qui avaient libéré Paris devaient en avoir le cœur net. Ils voulaient le voir, le toucher, et par-dessus tout vérifier *de visu* si ce qu'on racontait n'était pas un bobard, à savoir qu'il ne jouait qu'avec *three fingers*.

Ils se rendaient rue Chaptal et assiégeaient le modeste pavillon du Hot Club de France.

« Inutile de l'attendre, il ne viendra pas !

— Est-il vivant ou mort ? »

Le judas se refermait brutalement.

Django était bien à Paris où il avait repris ses activités à la tête du quintette deuxième manière avec Joseph à la guitare, Fouad à la batterie, Vola à la contrebasse et Rostaing ou La Plume à la clarinette.

On pouvait l'aborder après les concerts au Tabarin ou à L'Amiral, flanqué d'une ravissante interprète rousse, sosie de Maureen O'Hara, qu'il gratifiait du joli sobriquet de « Chattoune ». Il était toujours pendu à son bras et lui murmurait à l'oreille.

« Viens avec moi, rue Friedland, il y a là un colonel qui aime bien le jazz. »

Django et Chattoune pénétraient dans les salons de l'hôtel Royal occupé par des gradés américains qui sirotaient des sodas. Django demandait à la rouquine aux yeux verts de chanter. Elle interprétait « Embraceable You » et « Paper Doll ». Le colonel tombait sous le charme. Django faisait les présentations.

« Jenny Kuipers, la fille d'une grande résistante morte sous la torture. »

Le colonel se fendait d'un salut militaire. Pour Django, l'opération était payante : en mettant en avant ses bonnes fréquentations, il évitait qu'on exhume les mauvaises.

Lorsqu'il n'était pas en représentation, l'artiste pouponnait dans sa tanière de l'avenue Frochot, n° 6, un modeste pavillon caché au fond d'une impasse. À deux pas s'élevait la villa néo-gothique où le compositeur Victor Massé avait succombé à une sclérose en plaques et où la femme de chambre du directeur des Folies Bergère avait été assassinée à coups de tisonnier. Peu de monde fréquentait cet endroit qu'on disait hanté. La planque idéale. Les Reinhardt y avaient établi leurs pénates en 1944, juste après la naissance de leur fils, Babik.

« Viens voir comme mon fils est beau ! Il a encore grandi.

— Mais Django, je l'ai vu hier.

— Et ça ne t'a pas donné envie ?

— Envie de quoi ?

— D'un beau bébé ?

— Ça changerait quoi ?

— Mais tout ! Les matins sont plus clairs, les nuits plus bleues !

— Il me manque la matière première ! »

Jenny passait régulièrement avenue Frochot, non pour jouer les jeunes filles au pair – Naguine et Négros veillaient farouchement sur l'enfant qui rendait les matins plus clairs et les nuits plus bleues – mais en qualité d'infirmière. Une tâche difficile, tant les Manouches semblaient fâchés avec l'hygiène. La fumée de leurs trois paquets de gauloises quotidiens enveloppait le berceau, l'un des rares meubles à n'avoir pas fini dans la cheminée durant le dernier hiver de la guerre.

Chaque soir, des amis venaient boire l'apéritif. Parmi eux, Gen Paul, le peintre gouailleur et unijambiste, haute figure montmartroise, jamais à court de canulars. C'étaient les moments que préférait Jenny, vers quatre heures du matin, lorsque Django, après avoir bien banqueté, offrait à ses amis un dernier p'tit air pour la route. Elle aimait sa façon de jouer, guitare relevée, l'oreille collée aux cordes, auscultant le cœur de son instrument, partant dans de sinueuses improvisations, des mélodies en zigzags.

En septembre 1944, Django et son quintette passèrent aux Folies Bergère en première partie de Fred Astaire. Ce dernier, sanglé dans son uniforme, se précipita sur Django en parlant comme une mitraillette. Jenny fit la traductrice.

« Il dit qu'il t'a vu au Palladium de Londres en 1938 ou 1939 avec Grappelli.

— Dis-lui que je l'ai vu moi aussi au Grand Rex avec Rita Hayworth et que je la préfère à Grappelli. »

L'homme qui avait tenu Ginger Rogers dans ses bras éclata de rire et demanda à être photographié avec *The Great Django Reinhardt*. Fred ôta son calot et Django s'aperçut qu'il avait la boule à zéro. Les deux hommes burent plusieurs whiskies en fumant des Lucky Strike, marque dont le roi des claquettes était l'égérie.

Django était heureux de se retrouver dans une ambiance si sympathique avec ses nouveaux amis, les Ricains. Il n'avait pas renoncé à son vieux rêve de conquérir la terre de l'Oncle Sam. Seul problème, les jazzmen français n'étaient plus à niveau.

« Tu comprends, Chattoune, on a cuit dans notre jus sans réaliser que le jazz faisait un bon prodigieux de l'autre côté de l'océan. Tu vois le petit rongeur dans sa roue qui court, qui court en faisant du surplace ? Comparé à Charlie Parker, Thelonious Monk et Dizzy Gillespie, on est vraiment des cochons d'Inde ! »

Vers cette époque, une opportunité s'offrit à Django d'interpréter la messe sur laquelle il avait commencé à travailler avec La Plume au fond du métro Abbesses puis sur l'orgue de la basilique Saint-François de Thonon. Huit mesures seulement étaient composées quand on lui demanda d'enregistrer cette musique qui dormait dans un coin de sa tête en l'église Saint-Louis-d'Antin, dans le quartier Havre-Caumartin. La voiture radio était là ainsi que les techniciens du son et l'organiste, mais pas de Django.

Jenny sauta dans un taxi et trouva le compositeur dormant comme une souche, une vessie de glace sur le front. La jeune femme le secoua. Django ouvrit un œil, l'autre restant collé, il en tenait une sévère.

« Ta messe, Django, on t'attend à l'église !

— M'en fous ! répondit-il. De toute façon, elle n'est pas achevée... »

Il se tourna en boule sur le côté et d'une voix pâteuse expliqua qu'il avait fait la bringue toute la nuit, qu'ensuite la noire Sara-Kali était venue le visiter dans son sommeil, la patronne des Gitans était très en colère contre lui. Jenny insista pour qu'il tienne ses engagements. Cette messe, Maggie aurait rêvé de l'entendre.

Un nouveau rendez-vous fut pris à la chapelle de l'Institution des jeunes aveugles. Cette fois, Django ne put se dérober. Superstitieux, taraudé par sa conscience, il entra dans le saint lieu par une petite porte latérale. Il joua à la guitare la musique dédiée à tous ses frères romanichels morts dans les camps. Ce fut une révélation pour tous ceux qui eurent le privilège de l'écouter. L'organiste du Sacré-Cœur avoua n'avoir jamais entendu une chose pareille. Il y avait du Buxtehude là-dedans et du Jean-Sébastien Bach. Il demanda à Django s'il voulait bien lui confier sa partition. Django lui dit de s'adresser à La Plume avant de s'enfuir presque en courant. Interrogé à son tour par l'organiste, La Plume dit qu'il n'avait pu couvrir que quelques portées.

Django signa pour une nouvelle tournée dans le sud de la France. À nous rascasses, rougets, oursins et aïoli. Partis pour trois jours, ils restèrent six mois à l'hôtel Rose-Thé de La Ciotat, un centre de convalescence pour les soldats français blessés. Ils allaient jouer dans les camps militaires, les hôpitaux, les théâtres de la côte. Ils jouaient pratiquement à l'œil. Seuls la nourriture et le logement étaient assurés. Django n'avait pas un rond en poche, mais il prenait les choses avec philosophie :

« Tant qu'on a un toit au-dessus de la tête et un poids dans la panse... »

La Plume flirtait avec Jenny. Il était amoureux d'elle depuis des années sans parvenir à trouver la clé de son cœur.

« J'aime la musique que tu écris ! lui décochait-elle avec un brin de cruauté.

— Tu veux dire celle de Django ?

— Elle te rend sexy.

— Au fond, ce qui te plaît chez moi, c'est la seule chose qui n'est pas moi.

— *Nobody is perfect.* »

À l'hôtel Negresco de Nice, Django donna un grand concert pour les troupes américaines. L'auditoire, composé de parachutistes des Airborne du Middle West, était déjà dans un état d'ébriété très avancé et ne prêtait qu'une médiocre attention à l'orchestre.

Django n'en était pas à une goujaterie près. Du temps des musettes, les chahuts de ce genre étaient monnaie courante. Que le public fût indocile, voilà bien une chose qui ne heurtait en rien son amour-propre. Avec l'âge, il était devenu pragmatique et avait mis son mouchoir sur son désir qu'on l'écoutât au garde-à-vous. Les gens, il fallait les prendre comme ils étaient. De toute façon, sa musique leur passait au-dessus de la tête. Il n'était là que pour jouer des morceaux entraînants qui permettaient à certains convives de se déhancher et à d'autres de continuer à bavasser. Il fallait rester au niveau du sol et ne pas chercher à faire swinguer les anges...

Jenny sauta sur scène et s'empara du micro pour incendier la soldatesque indisciplinée.

« Vous avez la chance d'écouter un très grand artiste et vous vous conduisez comme des porcs... Puisque c'est comme ça, on se casse ! »

Sur ce, Django saisit sa guitare, se leva et quitta l'estrade. S'ensuivit une bagarre générale, une vraie bagarre de saloon... Jenny et Django s'en sortirent sans trop de dommages, grâce à l'intervention d'un jeune officier américain qui les guida vers la sortie en faisant écran de son corps.

Il s'appelait Tony Adam, il était beau comme Clark Gable dans *Autant en emporte le vent*, Jenny avait trouvé sa matière première. Tony, lui, était tombé amoureux fou... de la musique de Django Il se faisait fort de lui décrocher un contrat pour l'Amérique.

« Combien voulez-vous ?

— Autant que Benny Goodman ! » répondit du tac au tac le roi du swing.

Ils reprirent la route avec une vieille jeep et un jerricane d'essence. Ils tombèrent en panne du côté de Montélimar. Le cirque Bouglione vint à passer, Achille Zavatta proposa de les remorquer jusqu'à Paris. On attela la jeep à deux dromadaires et fouette cocher.

En septembre, Tony Adam invita Django à se produire dans la base américaine d'Orly avec l'ATC Band (Air Transport Command Band), une excellente formation de seize musiciens dirigée par le sergent Jack Platt que Django avait rencontré un peu plus tôt sur la Riviera et avec lequel il avait sympathisé. L'arrangeur de cet orchestre, Lonnie Wilfong, fan du Manouche, invita celui-ci aux studios de l'AFN à participer à une émission destinée aux troupes américaines. La répétition et l'enregistrement furent un vrai régal. Le speaker présenta Django comme le plus grand guitariste de jazz de tous les temps. Un photographe présent ce jour-là surprit Django en train de s'essayer au trombone entre deux prises. Ce n'était pas la première fois que le brillant touche-à-tout tâtait d'un autre instrument et peut-être fallait-il y voir un désir inconscient de diversifier ses talents... Django profita de la présence du grand orchestre pour enregistrer quelques faces et donner son premier concert à Paris depuis plus d'un an, salle Pleyel, le 16 décembre, concert retransmis par l'AFN, la BBC et la RTF.

34.

Cette année-là, Jenny passa Noël à Blankenberge accompagnée de Tony Adam et de La Plume. Ils se rendirent à la messe de minuit puis réveillonnèrent dans l'appartement que les Kuipers possédaient sur le front de mer. Le vent du Nord chargé de grésil fouettait les vitres de la salle à manger et, tandis que les deux hommes ouvraient les huîtres, Jenny, sa chatte égyptienne sur les genoux, choisissait un vinyle.

« Qu'est-ce qu'on se passe ?

— Ce que tu veux.

— "Folie à Amphion" ?

— Qu'est-ce que c'est ? » demanda Tony.

La Plume ne répondit pas mais il savait que cette mélodie enregistrée en 1947, Django l'avait composée pour Maggie et que l'écouter, c'était comme faire tourner les tables. En entrant dans la pièce éclairée de bougies, avec son plateau de fruits de mer, il trembla de voir surgir le fantôme de l'inflexible pasionaria qui avait tenu tête à Klaus Barbie.

Jenny vidait les verres et plus elle buvait, plus son rire sonnait faux. Elle demanda à Tony de la faire danser. La Plume cassait des allumettes en la regardant se frotter à l'Américain sur l'air de « I Can't Give You Anything But Love ».

Tony avait toujours des questions à poser sur Django.

« Vous qui avez la chance de le côtoyer, pourquoi vous n'écririez pas un livre ?

— Sa musique me suffit ! dit La Plume.

— Tony a raison, le contredit Jenny. J'ai déjà le titre : *L'Ange déguisé.* Un jour, à Saint-Jean-de-Luz, au milieu des laisses de mer, j'avais trouvé un bout d'aile déchiquetée. Et comme je m'étonnais que cette pauvre chose ressemblât à la main gauche de notre guitariste adoré, ma mère avança l'idée, aveuglante de clarté, que celui-ci devait être un ange déguisé.

— Pas mal, dit Tony.

— Mouais, dit La Plume. Moi, je verrais plutôt : *Folles de Django.* Il faut voir dans quel état il les met toutes. Un jour, à la sortie d'un concert, une fille extatique l'a supplié de lui donner sa chemise. Je ne peux pas, dit Django, j'ai sué comme une bête. C'est pas grave, a répliqué la fille, je suis déjà toute humide.

— Cette fille, c'était moi ! » dit Jenny.

Ils éclatèrent de rire.

« J'aimerais bien rencontrer une nana prête à fondre pour moi », dit la Plume après un silence.

Il avait planté ses yeux dans ceux de Jenny. Tony Adam poursuivait son idée.

« Dans ton livre, il faudra donner la parole à Django, lui demander de parler de sa musique. Comment il arrive à créer un truc pareil.

— Il ne pense pas avec des mots mais avec des notes, dit La Plume. Il prend un air ici, un air là, son cerveau agit alors comme un énorme alambic qui fabrique une eau pure à partir de mélasse.

— Pourquoi il n'a pas continué avec Grappelli ? C'est la fusion de leurs deux styles qui remue le corps.

— Oh ! C'est une longue histoire et je tombe de sommeil ! dit Jenny dans un bâillement.

— Tu peux nous la confier sur l'oreiller », proposa Tony.

Blottie entre ses deux soupirants, Jenny raconta l'histoire des retrouvailles Reinhardt-Grappelli. Qui avait fait le premier pas ? La légende voulait que Stéphane eût appelé Django rue Chaptal, le 15 octobre 1945. Ce geste, loin d'être une inspiration subite du violoniste, était en fait le fruit de mois et de mois d'âpres pourparlers menés en sous-main par Charlie Delaunay. Le but du secrétaire général du Hot Club était bien évidemment de refonder le quintette matriciel. Grappelli n'avait pas dit non. Mais il n'avait pas non plus sauté dans le premier ferry. Il avait fallu marcher sur des œufs, user de tact et de diplomatie pour l'amener à « sortir de son bunker ».

Si des retrouvailles devaient avoir lieu, ce n'était pas à Paris mais à Londres où il s'était en quelque sorte établi. Et ce serait à ses propres conditions. Les six années de guerre n'avaient pas réussi à faire passer les couleuvres que son despotique partenaire avait pu lui faire avaler. Il avait encore présents à l'esprit ses caprices de star, ses retards ontologiques, son esprit lunatique. Et il n'était pas question de se faire emberlificoter à nouveau. Au contact des Anglais, il avait appris à boxer... Dans chaque gentleman sommeille un *bad guy*. Sous son côté vieille France, il s'était arsouillé. Il était loin le temps où l'on pouvait s'essuyer les pieds sur son plastron un peu trop empesé. Reinhardt était prévenu. Il allait avoir un interlocuteur coriace, autrement consistant... Enfin, sur le plan purement musical, Grappelli avait encore progressé, il ne s'était pas, comme Django, laissé ensorceler par les sirènes de la gloire. Il sortait du conflit mondial plus pugnace, plus affuté... et ce n'était pas de l'arrogance. Jenny, qui lui rendait souvent visite à Londres, avait été témoin de cette métamorphose. Malgré le Blitz, Stéphane avait continué à pratiquer son art. Il avait rencontré de nouveaux talents, s'était découvert des affinités avec le pianiste aveugle George Shearing, pas un excité, lui, toujours exact, rasé de frais et parfumé, la fantaisie, il ne se l'autorisait que dans sa musique... Bref, ce come-back que Charlie appelait de ses vœux, Stéphane entendait le négocier bec et ongles, sans d'ailleurs signer de blanc-seing. Il estimait qu'on avait minoré sa contribution au quintette, ne voulant retenir que les acrobaties du Manouche, oubliant que pour faire du trapèze, il faut être deux, un porteur et un voltigeur... Il voulait se faire désirer par Sa Majesté Django, il voulait que ce soit le Manouche lui-même qui vienne lui demander de revenir, qu'il y mette les formes et que ça vienne du fond de l'âme. Le coup de fil de Stéphane était préparé de longue date et le seul à ne pas être au courant de la manigance, c'était Django.

« Allô, Paris, ici Londres, ne quittez pas... » Django éclata de rire en reconnaissant la voix de son vieux compère. Balayé par cette joie enfantine, Stéphane laissa filer aussi la vapeur. Charlie, qui assistait à la scène, poussa un grand ouf. Ayant recouvré le contrôle de leurs nerfs, les deux hommes prirent des nouvelles l'un de l'autre.

« Comment va la santé, mon frère ?

— On fait aller. Et toi ? Que deviens-tu ?

— Je suis papa d'un fils de quinze mois et je me suis mis à la peinture !

— C'est bien, mais je crois me rappeler que tu jouais aussi de la guitare dans une autre vie et que tu ne te débrouillais pas trop mal.

— Tu n'étais pas mauvais non plus, avec ton violon ! dit Django.

— Merci de t'en souvenir.

— Je suis content de t'entendre, mon frère !

— Et moi je suis content que tu sois content.

— Tu sais, mon frère, je possède mon propre cabaret à Pigalle.

— J'en ai entendu parler. Ainsi que de ton nouvel orchestre.

— Ça ne fonctionne pas trop mal.

— Tu m'en vois ravi.

— Si tu veux passer, ça me ferait bien plaisir !

— Ton invitation me va droit au cœur, mais je ne suis pas en état de voyager.

— Si c'est ça, je peux venir à Londres.

— Passe quand tu veux.

— J'aurais deux, trois trucs à te montrer. Des morceaux que j'ai composés. Un peu dans le style de ce que font les Américains.

— Ils sont devenus très forts !

— Oui, mais on peut faire aussi bien.

— Tu veux dire : avec ton nouvel orchestre ?

— Non, je voulais dire... »

Grappelli retint son souffle et Django hésita puis se jeta à l'eau.

« Est-ce que tu serais prêt à remonter un quintette dans le genre de ce qu'on faisait avant guerre ? Mais attention, hein, une vraie machine de guerre pour conquérir l'Amérique.

— Viens à Londres. On en parlera. »

Django disait, et il avait eu tout le loisir d'y réfléchir au long de sa carrière mouvementée, que la chance était comme une fille de joie qui joue les saintes-nitouches. La chance, il fallait lui courir après et, à condition qu'elle se laisse saisir par la taille, ne plus la lâcher. Grappelli était une chance pour Django et Jenny pensait qu'il devait en avoir conscience au moment de retourner en Angleterre, à voir la fièvre avec laquelle il avait bouclé ses valises. En attendant d'embarquer, il avait dû sacrifier à quelques obligations avec le quintette à anches dont une série d'émissions pour les États-Unis où sa cote ne cessait de grimper.

La BBC, de son côté, pour la nouvelle création du quintette à cordes décida d'organiser une série d'émissions et de faciliter les formalités d'entrée de Django en Angleterre. Les autorités britanniques se laissèrent convaincre. En revanche, elles n'accordèrent pas de permis de séjour au contrebassiste et aux deux autres guitaristes du groupe. Il faudrait faire sans eux.

Par un brumeux matin de janvier 1946, Django, sa femme et Babik, après avoir embrassé mamie Négros, quittèrent l'avenue Frochot, emportant une valise, la guitare et un cabas contenant les aliments du gosse dans un Thermos acheté la veille à Barbès. Naguine se plaignait que son enfant fût bien lourd et, comme Jenny lui demandait ce qu'elle avait fait de sa poussette, Naguine lui répondit que Django l'avait échangée contre un chevalet et des tubes de gouache.

Après une traversée au cours de laquelle l'artiste trouva encore le moyen de se faire arnaquer, la petite tribu arriva à Londres et se rendit aux appartements que Grappelli leur avait réservés dans son hôtel. La suite ne tarda pas à prendre l'aspect du boxon habituel. Babik, déjà bien déluré, faisait tourner en bourrique le personnel en tirant sur les cordons de sonnette.

Sitôt son travail terminé, Stéphane apparut, la goutte au nez, une grosse écharpe autour du cou, escorté de deux musiciens de son orchestre, des sujets de Sa Gracieuse Majesté dont le contrebassiste Coleridge Goode, ressortissant jamaïcain. Ces hommes au regard dur étaient les accompagnateurs attitrés de Grappelli, presque ses hommes liges et ils étaient impatients de découvrir Django sans se sentir pour autant intimidés. Ils lui donnèrent une poignée de main d'entrepreneur des pompes funèbres. Django serra le Rital dans ses bras. Les deux hommes étaient-ils émus ou jouaient-ils la comédie ? Un peu des deux. « Bon, on ne va pas chialer comme des veaux, dit Django, parce que Naguine n'a plus de dentelles, tout est parti au marché noir. » La joke ne fit rire personne. Stéphane était si nerveux qu'il en avait oublié son violon. On alla lui en dégoter un et on s'apprêta à célébrer ces retrouvailles en musique. Django tirait nerveusement sur sa clope... On le sentait de plus en plus mal à l'aise... Il faisait chaud ou était-ce une impression ? Ne pourrait-on ouvrir une fenêtre ? Était-ce le trac ? La peur de ne pas être à la hauteur ? À quand remontait leur dernier duo ? 1939 ? Sauraient-ils retrouver l'extraordinaire connivence qui les liait alors ?

« Qu'est-ce qu'on joue ? demanda Grappelli. "Daphné" ? "Minor Swing" ? Tu préfères quelque chose de lent ou la charge de la brigade légère ?

— Choisis ! » dit Django, dont les paumes étaient parcourues de fourmillements.

Stéphane plaqua les premières mesures de *La Marseillaise*. Django bondit tel un lévrier jaillissant des boxes. Dès les premières notes, comme s'ils s'étaient quittés la veille, ils retrouvèrent la *magic touch*, celle qui faisait leur force à leur apogée. Sous leurs doigts véloces, l'hymne pompeux de Rouget prenait un sacré coup de jeune. Emmenés par le violon allègre de Grappe, les citoyens formaient leurs bataillons à grands sauts de cabri tandis que la tornade reinhardtienne faisait s'envoler l'étendard sanglant. Le reste de la nuit se passa à jouer des airs anciens ou des choses nouvelles que Django avait composées durant la guerre comme « Mélodie au crépuscule ». Pour Jenny, qui assistait à ce « pot-pourri », ce moment compterait parmi les plus émouvants de sa vie.

Rien ne leur semblait hors de portée. Au côté du Manouche, Stéphane, aux anges, retrouvait ses audaces et son alacrité. Il jetait de temps à autre un regard rieur à Django. Ce dernier buvait de l'ambroisie : de tous les musiciens du quintette, Grappelli était celui dont il se sentait musicalement le plus proche. Rien n'était mécanique, tout restait ouvert, remuant... L'un proposait quelque chose que l'autre saisissait au vol pour innover à son tour. La musique ne cessait de se faire et de se défaire.

Les bouteilles de gin et de whisky étaient vidées, les cendriers débordaient de mégots et les notes joyeuses s'égrenaient encore lorsque le soleil se leva sur Green Park qui fournirait bientôt le décor à « Night and Day ».

Le surlendemain, au cours d'une séance d'enregistrement pour laquelle le quintette à cordes avait été spécialement reconstitué, on tenta de recréer l'ambiance et le tempo de cette nuit d'ivresse... Delaunay avait eu la bonne idée d'organiser deux séances dans un studio d'Abbey Road et lors de la première, le 31 janvier 1946, fut gravé l'hymne national, publié sous le nom d'« Echoes of France ». Plus tard, des esprits cocardiers s'en émurent et le disque fut prudemment placé sous embargo. On le ressortirait ultérieurement, lorsque les passions seraient refroidies. Si cette *Marseillaise* jazzifiée avait fait scandale, ce n'était pas tant parce qu'elle avait été interprétée sur un mode irrévérencieux que parce qu'elle émanait de deux planqués. Et pourquoi pas *Le Chant des partisans*, pendant qu'on y était ? Jenny estimait toutefois que leur patriotisme, aussi maladroit fût-il, était sincère. N'ayant que leur instrument à opposer à l'industrie guerrière, ils s'en servaient à leur manière afin de rendre hommage à celles et ceux qui avaient donné leur vie pour qu'ils puissent s'exprimer à nouveau dans une Europe libre.

Tout portait à croire que ces nouvelles fiançailles déboucheraient sur une union pérenne... Hélas, quelques jours plus tard, peut-être sous le coup de l'émotion, le cœur de Django se remit à faire des siennes et il fallut le transporter d'urgence à l'Hôpital français de Londres pour y subir des examens qui se révélèrent préoccupants. Jenny et Naguine patientaient dans la salle d'attente. Un vieux type à côté d'eux respirait avec peine et Babik s'amusait à l'imiter. Jenny s'entretint avec le médecin. Les émissions prévues pour la BBC, la grande tournée à travers les îles Britanniques, tout devait être annulé. Il fallait mettre la pédale douce. Plus de tabac, plus d'alcool, la pêche à la ligne avec le soleil sur les épaules.

Mais pour Django, pas question de s'arrêter au moment où il avait retrouvé le feu sacré. L'enseignement de ces retrouvailles avec Grappe était clair : il n'y avait qu'avec ce diable d'Italien qu'il pouvait encore évoluer et tirer le jazz français vers ce qui se pratiquait déjà aux États-Unis : le be-bop. Le Grappelli de la Libération, transfiguré par son séjour à l'étranger, était encore plus fort que celui d'avant guerre et l'ancienne formule avec violon, il fallait bien l'admettre, surpassait celle de l'Occupation, avec clarinette et batterie, même si Rostaing, Fouad ou La Plume n'avaient pas démérité.

Django revint de Londres le cœur malade mais ayant retrouvé le goût de jouer. Qu'il le veuille ou non, Grappelli s'imposait comme son meilleur boutefeu. Seul problème : ils n'allaient pas pouvoir faire parler la poudre comme ils le souhaitaient. Non qu'ils n'en aient pas les capacités. Ils en débordaient, au contraire. Mais parce que public et producteurs ne voulaient entendre que leurs pétarades d'avant guerre et d'une certaine manière, comme l'expliquait Jenny, ils se retrouvaient les otages de leur succès d'antan. Or se laisser enfermer dans un cadre fixe était tout ce que détestait le Manouche. Il souhaitait résolument appartenir à l'avenir et non au passé. Il regardait du côté de Dizzy, de Charlie Parker ou de Duke Ellington, ils étaient ses lièvres. Ce n'était pas au public de décider ce qu'il voulait entendre. S'il est un art où tout regard en arrière vous change instantanément en statue de sel, c'est bien le jazz.

« Ils en sont là, termina Jenny. Et je n'ai qu'une hâte, revoir Pigalle. Ce n'est pas que je m'ennuie avec vous, les garçons, mais cette idée de livre me plaît et je ne voudrais pas rater le prochain chapitre. »

35.

Les grands artistes partagent avec les grands champions une extraordinaire capacité à digérer les échecs et à se remettre dans le match. Django n'était pas malheureux de respirer à nouveau l'air de Paris – ce climat de Londres où l'on avait l'impression de vivre à l'intérieur d'une éponge pourrie ne lui réussissait pas voilà tout –, il se sentait déjà beaucoup mieux et cavalait dans les ruelles du vieux Montmartre, son fils sur le dos criant « Hue cocotte ! ». Ces rodomontades visaient sûrement à masquer les problèmes qui ne cessaient de s'accumuler. Alors que la France entamait sa reconstruction, lui voyait ses actions dégringoler dangereusement. Aux ennuis de santé s'ajoutaient les soucis matériels. Il se retrouvait sans boulot. Sa boîte ayant périclité, il se rabattit sur un autre cabaret, Le Rodéo, flatté qu'on lui en confiât les rênes. Mais le quintette reformé à la va-vite avec des musiciens sans bagages explosa en vol. Le Rodéo ferma ses portes à son tour et Django reprit sa vie de bâton de chaise.

Il dormait jusqu'à quatre heures de l'après-midi et allait prendre son petit déjeuner à L'Ambiance, une brasserie où son frère Joseph grattouillait en sourdine. Django empruntait volontiers la guitare du frangin pour égrener quelques morceaux. Une nuit qu'il jouait sans désemparer, un gros client se plaignit auprès du patron : « Qui c'est ce clown ? Il se prend pour Django Reinhardt ou quoi ? Il nous casse les oreilles ! »

Un autre soir, après le spectacle, Django, son frère et Jenny se rendirent dans les salons d'un hôtel voisin (un établissement plus ou moins borgne du nom de Piccadilly). Il devait être trois heures du matin quand le barman se pointa en disant qu'il connaissait une chanteuse du tonnerre.

« Mignonne ? demanda Django.

— Canon ! répondit le barman.

— Amène-la ! » dit Joseph.

La fille fut introduite dans le cercle à l'atmosphère chargée de testostérone et du premier coup d'œil ils virent à qui ils avaient à faire. Une petite greluche bêcheuse maquillée comme un carré d'as qui les toisait du haut de ses cuissardes.

« Tiens, vous jouez de la guitare ?

— Comme ci, comme ça, répondit Django les yeux mi-clos, avec son sourire de chat.

— Pour moi, dit la fille, il n'y a qu'un seul guitariste : Luis Mariano. Vous ne l'avez pas vu dans *La Belle de Cadix* ? »

Django dit alors à la fille de chanter un air de la célèbre opérette de Francis Lopez.

« Quelle scène ?

— Le mariage gitan.

— Je joue quel rôle ? demanda la godiche.

— On s'en fout, dit Joseph, allez balance... »

La fille chantait comme une casserole, ce qui n'empêcha pas les frangins de se livrer à une extraordinaire improvisation.

« C'était sympa, non ? dit Django en vidant son verre de whisky.

— Mouais, dit la fille, mais vous ne jouez pas aussi bien que Luis Mariano. Vous êtes moins beau aussi.

— Ça c'est sûr, lui dit Django en l'attirant sur ses genoux. Vous savez quoi ? Vous devriez poser pour moi. »

La fille croyant à une proposition malhonnête lui en colla une et déguerpit. Les frères riaient tellement qu'ils en pleuraient.

Jenny dit à Django qu'elle était d'accord.

« D'accord pour quoi ?

— Je veux bien poser nue pour toi. »

La remarque jeta un froid.

« Allons, dit Joseph, c'était pour se marrer.

— Il est tard, dit Django. Je vais me pieuter. »

Elle le rattrapa sur le trottoir de l'avenue Kléber. Il pleuvait.

« Qu'est-ce qu'il y a, dis-moi ? »

Django marchait vite, les épaules rentrées dans le col de son imper. Elle courait presque à ses côtés, haletante, désemparée.

« Je ne te plais pas ? »

Il la saisit par le bras et l'attira sous une porte cochère.

Elle sentait ses doigts s'enfonçait dans sa chair à lui en faire mal. Elle le distinguait à peine mais pouvait sentir son souffle tiède sur son visage. Il empestait le bourbon.

« Embrasse-moi », dit-elle en sentant ses jambes la lâcher.

Il desserra son étreinte et porta une main à sa poitrine.

« Django… Django… »

À présent c'était elle qui le tenait presque à bout de bras…

Un taxi déchargeait des clients devant l'immeuble d'en face.

Agrippés l'un à l'autre, ils traversèrent la rue sous des trombes d'eau. Elle l'aida à s'installer à l'arrière du taxi et voulut monter.

« Non ! » dit-il.

Il claqua la portière.

Le lendemain, elle se rendit avenue Frochot pour prendre de ses nouvelles. Django était sorti. Naguine dit seulement qu'il était rentré un peu tard, un peu saoul. La porte de l'atelier était entrouverte et des volutes bleues lévitaient dans la lumière du soleil. On distinguait un tableau en cours d'élaboration sur le chevalet.

« As-tu déjà posé pour lui ? demanda Jenny.

— C'est inutile. Il me possède.

— Tu veux dire qu'il ne peint que ce qui lui échappe ?

— Je ne sais pas. Il ne me montre pas ce qu'il fait.

— Et tu n'as pas la curiosité d'aller y jeter un œil ? »

Naguine referma la porte du saint des saints et fit comprendre à Jenny qu'elle perdait son temps.

« La chambre de Barbe Bleue », pensa la jeune femme en rejoignant la rue.

Comment Django en était-il venu à s'intéresser à la peinture et pourquoi avait-il refusé de peindre la nature de Jenny ? Fallait-il envisager ce hobby comme un bouche-trou en cette période de semi-désœuvrement où la musique en tout cas avait cessé d'être le centre de ses préoccupations ? Elle s'en ouvrit au vieil ami de sa mère, Émile Savitry.

Très petit déjà, dans la roulotte de leurs parents, les frères Reinhardt crayonnaient. Surtout des portraits. Ils avaient croqué leurs oncles aux noms à coucher dehors : Nellone, Clodorbe et Giligou. Ainsi que le commandant Zacharias à la tête de son régiment de mendiants éclopés. Ils avaient immortalisé leur sœur Tzanga à la tignasse de lionne. Ils s'étaient ensuite essayés aux paysages, mais sans succès en ce qui concernait Django, parce qu'il n'arrivait pas à les peindre tels qu'il aimait les contempler : en mouvement. Dans l'entre-deux-guerres, il avait beaucoup fréquenté les ateliers, en particulier celui de Gen Paul, avenue Junot. Il s'était rendu plusieurs fois à la Ruche, passage Dantzig, ce merveilleux pigeonnier d'artistes où s'étaient ébroués Soutine et Modigliani. S'il n'avait aucun goût pour les volailles écorchées du premier, en revanche, les femmes à cou de girafe du second l'inspiraient. Puis il avait donné quelques concerts privés chez de riches collectionneurs comme le baron de Rothschild, la comtesse de Noailles ou Porfirio Rubirosa. Un jour qu'il demandait à Jean Cocteau si c'était difficile, la barbouille, Cocteau, toujours un peu narquois, lui aurait répondu : « Pas plus difficile que la grattouille, je suppose ! » Cocteau lui fit découvrir *L'Origine du monde* de Courbet, peintre très proche des bohémiens. Ce tableau le marqua autant que le premier disque d'Armstrong.

Lorsque Django commença une carrière d'artiste peintre à trente-six ans, des journalistes avides de scoops l'interviewèrent. Il leur déclara que sa peinture était de très loin supérieure à son œuvre musicale.

« Vous ne vous considérez pas comme un peintre du dimanche ?

— Non, puisque je peins tous les jours.

— Dans quels tons peignez-vous ?

— *Fa* dièse mineur.

— En *fa* dièse mineur ? Mais pourquoi dans ce ton plutôt que dans un autre ?

— C'est plus mystérieux ! »

De mystère, sa peinture n'en manquait assurément pas. À quand remontaient ses premiers nus ? Difficile à dire dans la mesure où l'orthodoxie tzigane condamnait la représentation du

218

sexe féminin. Il hésitait d'ailleurs à exposer, par peur de se faire répudier par les siens pour avoir enfreint un tabou. En fait, il peignait en cachette et planquait les toiles sacrilèges sous son lit. Quant au choix de ses modèles, on peut supposer qu'il s'agissait de femmes de petite vertu.

« Dommage que tu ne sois pas une putain ! » conclut Savitry.

36.

Rue Chaptal, les membres du Hot Club n'en revenaient pas. Depuis des mois et des mois, Charlie Delaunay se décarcassait pour que le quintette d'origine, avec Grappelli, traversât l'Atlantique. Sans succès. Et voilà que Django, d'un claquement de doigts, avait obtenu pour lui – et pour lui seul – une tournée avec Duke Ellington. On ne connaîtrait jamais le dessous des cartes de cet incroyable arrangement. Toujours est-il que Django, que certaines mauvaises langues avaient déjà enterré, exultait.

Que faire sur le pont d'un paquebot, les mains inoccupées (fidèle à lui-même, ce Pierrot lunaire avait oublié sa Selmer sur le quai de Cherbourg), au milieu de l'océan ?

Cette fois, son vieux rêve de conquérir l'Amérique, Django allait pouvoir le toucher... Seulement, voilà, il n'était plus très sûr d'en avoir envie. Ce voyage qui arrivait alors qu'il ne l'espérait plus, il avait autant de raisons de le faire que de ne pas le faire.

Il existait d'autres possibilités que l'Amérique. Pas des choses forcément fabuleuses – chimères et fantasmagories l'avaient quitté depuis longtemps –, mais il aspirait à des trucs idiots, les rêves de monsieur Tout-le-monde : écouler des jours paisibles auprès de sa femme et de son gosse, consacrer plus de temps à la peinture et à la pêche au vif, se mettre au vert... Son problème est qu'il avait pris la mer avec dans la tête l'envie de rester à quai. Ennuyeux, car le combat qu'il s'apprêtait à livrer était certainement le plus audacieux de sa carrière. Pardi, il s'agissait ni plus ni moins d'entrer dans la légende... Le Duke était une légende, Armstrong aussi, mais lui, Jeannot Renard, qu'est-ce qu'il valait vraiment auprès de ces grands hommes ? C'était le moment de le montrer, et peut-être qu'il avait présumé de ses forces, oui peut-être qu'il n'avait pas tout à fait les moyens de ses ambitions...

Il aurait voulu que sa femme soit là, que son fils soit là, il aurait souhaité sentir Joseph dans son dos et pouvoir s'appuyer sur Maggie. Jamais il n'avait eu autant besoin de ses puissants garde-fous. Laissé à lui-même, il se savait capable de flinguer à bout portant son encombrante image de bête de scène ou de cirque.

Autrefois, lorsque la gamberge l'envahissait, il prenait la route. Rien de tel que le vent de l'aventure pour éparpiller les pensées. Mais sur l'Océan, où fuir, où aller, comment échapper à soi-même ? Les idées noires allaient, venaient, roulaient à vous rendre *naselo*...

« Tiens, bois ça ! »

Il tourna la tête. Jenny qui le suivait comme son ombre lui tendit un verre empli d'un liquide brunâtre. Il but deux gorgées, grimaça...

« Pouah, qu'est-ce que c'est que cette saleté... ?

— Du Coca-Cola ! Il faut que tu t'entraînes. Là-bas, ils ne carburent qu'à ça.

— Tu sais, Chattoune, j'ai peut-être fait une belle connerie !

— Allons, ne dis pas ça. C'est normal d'avoir le trac.

— Le trac, je l'ai au moment du baisser de rideau quand la salle applaudit. Jamais avant d'entrer en scène.

— Tu es le roi du swing, Django.

— Non, le roi du swing c'est Jean-Sébastien Bach. »

C'est donc les bras ballants et le papillon dans l'estomac que Django débarqua aux USA comme avant lui des nuées d'émigrants venus d'Europe de l'Est avec pour seule richesse leur musique. Ces sans feu ni lieu ayant fui pogroms, famine et révolutions avaient grandement contribué à la naissance du jazz. Il s'agissait clairement pour lui de faire peau neuve, de jeter le brouillon qu'avait été sa vie jusqu'ici et de mettre au propre le chapitre le plus important.

Django s'attendait à trouver dix, vingt guitares à son hôtel, cadeaux des grandes firmes américaines qui, dans son idée, allaient toutes lui faire les yeux doux et rivaliser de gracieusetés pour s'attacher ses faveurs. Il avait tout faux. Jenny eut beau essayer de négocier, rien à faire, Django dut se résoudre à payer de ses propres deniers son outil de travail, une guitare marchant à l'électricité comme il disait, une Gibson L5 amplifiée très loin de pouvoir répondre à son fouetté si particulier. Première leçon : au pays de l'Oncle, rien n'est donné, tout se gagne à la sueur de son front. Il découvrait l'Amérique : une terre de rudes businessmen peu portés sur la philanthropie. Gloire à ceux qui réussissent par leurs propres moyens et malheur aux losers. Mais pour l'heure, il était trop dans la féerie pour faire un fromage d'une guitare, fût-ce sa mythique Selmer qui lui avait tant porté chance jusqu'ici. Durant ces premières journées occupées à déambuler dans New York le nez au vent, Django continuait à s'interroger sur ce qui l'attendait.

S'il n'avait aucun doute sur la valeur des Américains, il pouvait légitimement se demander où lui en était musicalement. Saurait-il retrouver la flamme qui l'animait sous l'Occupation ? Pouvait-il encore hausser son niveau de jeu ? Lui permettrait-on de le faire ? Était-il perçu comme un invité de marque ou un électron libre ?

Vis-à-vis de Duke, il n'avait aucune inquiétude à avoir. Les deux hommes s'étaient rencontrés à Paris avant guerre et le coup de cœur qu'ils avaient eu l'un pour l'autre était sincère. Le Duke était réglo. S'il avait fait venir Django en Amérique, ce n'était sûrement pas pour apporter encore plus d'éclat à son Big Band. Au sein de sa prestigieuse formation n'évoluaient que des cracks, et Duke ne courait plus après la gloire depuis longtemps. Il était entré vivant au panthéon. Le Duke estimait seulement que l'Amérique profonde devait connaître Django Reinhardt avec lequel il se faisait une fête de partager la scène. Ils allaient s'éclater. Ce qui tracassait le Manouche, c'est qu'en Amérique le jazz ne cessait d'ajouter des couleurs à sa palette et qu'en Europe, on était, il fallait bien l'avouer, en retard de plusieurs métros. Le chatoyant jazz américain allait plus vite que le trafic et il n'aurait pas déplu à Django d'être parmi le public plutôt que sur scène pour profiter de ce formidable ramdam.

Il aurait rêvé rencontrer Charlie Parker. Jenny se renseigna pour savoir si ce vœu pouvait être exaucé. Elle apprit que Bird se trouvait à Camarillo, en résidence surveillée (avec chambre aux murs capitonnés), pour usage et détention de substances illicites, exhibitionnisme, tapage nocturne, insultes aux représentants de l'ordre, détérioration de lieux publics, aliénation mentale...

Restaient Thelonious Monk et Dizzy Gillespie... Où pouvait-on les écouter ? Monk était en tournée avec Dizzy, lequel aurait constitué un big band encore plus explosif que celui d'Ellington. Il innovait dans un genre qui allait bientôt faire l'effet d'un tsunami : le be-bop. Il s'était lancé à fond là-dedans. Chacun pouvait venir et apporter sa pierre au nouvel édifice. Dizzy était du genre partageux. Tout le contraire du Faucon. Ce qu'il avait, il le donnait, et ce qu'on lui donnait, il le prenait. Jenny pensait que ce serait une bonne idée que Django attelle son wagon à cette locomotive. Non pour contribuer à l'essor du be-bop. Mais pour en tirer toute la substantifique moelle et se servir de cette expérience pour monter plus haut. Dizzy était le seul à pouvoir lui communiquer l'énergie nécessaire à la création de sa propre entreprise. Comme une borne électrique où les piles de Django un peu à plat se seraient rechargées. Toutefois, bien que l'envie le tenaillât de rejoindre ses idoles, Django ne pouvait faire un enfant dans le dos du Duke qui l'attendait à bord de son Pullman.

À propos d'enfant, en débarquant du paquebot, Jenny enceinte de huit mois (d'un Tony Adam largué en chemin) avait eu ses premières contractions.

Django qui en avait vu d'autres l'entraîna dans sa grande tournée à travers les États-Unis. Dans le wagon spécial réservé à l'orchestre, il partageait la cabine du Duke. Un compartiment à deux lits. Jenny occupait l'autre cabine. Les musiciens s'entassaient dans une voiture-couchettes. En traversant ce dortoir pour aller pisser, Django fut stupéfait de découvrir que tous les musiciens portaient d'extravagants caleçons à fleurs. Assez déconcerté, il regagna sa cabine et quelle ne fut pas sa surprise en s'apercevant que le Duke en personne portait le même genre de sous-vêtement…

« Quoi, tu n'en as pas ? lui lança l'autre dans un français nasillard. Mais c'est notre nouveau costume de scène ! »

Django le prit au mot et en arrivant à Cleveland dans l'Ohio où devait se dérouler leur premier concert, il fit les frais d'un caleçon tout pareil à celui de ses partenaires car « il ne voulait pas faire tache ». L'idée de se produire en petite tenue au sein du Duke Ellington Orchestra ne lui semblait pas saugrenue, tant les Américains brillaient par leur décontraction. Lui-même n'en était pas à une excentricité près et le jazz ne connaissait pas de limites. Ils devaient jouer au Public Music Hall et Django arriva donc à la répétition plus que court vêtu. Ce fut au tour de Duke et des Ellingtoniens, tous en smoking, de tirer une drôle de trombine... Palabres, quiproquos, finalement Django enfila un pantalon, pas vraiment sûr d'avoir tout compris. Peu avant de pénétrer sur scène, le Duke demanda à Jenny de demander à Django dans quelle clé il voulait jouer le premier morceau...

« Il n'y a pas de clé ! répondit Django.

— Mais c'est impossible, rétorqua Duke, il faut une clé pour jouer...

— Ne vous occupez pas de moi, dit Django, ouvrez avec la clé que vous voulez, j'entrerai. »

En ce 4 novembre 1946, le concert dura quatre heures, le public applaudit debout. Après Cleveland, ce fut le Civic Opera de Chicago, puis vinrent Saint-Louis, Detroit, etc. Entre deux concerts, Django évoquait la figure tutélaire de Maurice Chevalier, le plus grand Français d'Amérique (qui avait fait débuter Duke Ellington à Broadway) ou bien il s'essayait à l'écriture phonétique comme le découvrit Jenny qui, un soir, le surprit en train de rédiger une lettre à Stéphane avec les rudiments de syntaxe que lui avait autrefois enseignés Maggie :

« MONT CHER STEUPHANE, JE TECRIS SAIS DEUX MAUX POUR TE DIRE QUE LES AFFAIRES VONS MAGINFIQUEMENT BIENT. MAINTENANT JE VAIS TE DÉCRIRE À LA VITESSE LA TOURNES : BUFALO, CLAIVELAN, KASAS CITI, CINSINNATI, CHICAUGO, BOXSTON, PHALADELPHIA, PETERSBURG, NORFOLK, ROCHESTER, TORONTO, CANADA, OMAA, OIO, SAN FRACISCO, LINGCOL. ENFIN JAIS PARCOURU PA MAL. ET CE NEZ QUE LA MOITIER. JE MEUX RAPELE PLUS DES VILES. ALORS TU TE RENCONTE DU TRAVAILLE. MON CHER STEUPHANE TU MESCUSERA ENCORE UNE FOIT DE PLUS POUR LOCTOGRAF MAIS JESPERE QUE TU CONPRENDRA. »

À « Kasas Citi », Jenny perdit les eaux et tandis que l'orchestre faisait swinguer trois mille fans idolâtres, elle accoucha d'une petite fille qu'elle prénomma Dinah, du nom de la première chanson gravée dans la cire par Django. C'était bientôt Noël et que rêver de mieux comme rois mages que Duke Ellington et Django Reinhardt ?

La troupe allait finir sa tournée triomphale à New York où l'orchestre du Duke devait donner deux concerts les 23 et 24 novembre 1946 à Carnegie Hall. Jusque-là tout s'était passé fort courtoisement. Intronisé soliste par le Duke et soutenu par l'orchestre, Django avait fait sensation en remplissant à merveille le rôle d'attraction qui lui était dévolu. Il s'était d'ailleurs tout de suite senti à l'aise avec cette formation assez foutraque (et donc proche de l'esprit du vieux quintette). Tout le génie du Duke était de faire tenir ensemble des personnalités très différentes et très affirmées, de leur permettre de se lâcher tout en maintenant une sorte d'unité organique. Pour Django, habitué à ce genre d'heureux foutoir, c'était tout bonheur !

« Tu vois, lui disait Jenny, tu avais tort de t'en faire. Moi, j'étais sûre que tu retomberais sur tes pieds. »

Django demeurait pourtant circonspect. Rien n'était encore acquis même si la plupart des magazines de la presse quotidienne avaient déjà consacré des articles élogieux à l'*amazing gipsy*. Le grand test serait Carnegie Hall où siégeraient les critiques les plus influents, ceux qui avaient le pouvoir de faire ou détruire des carrières.

« Tu vas les mettre à tes pieds, l'assurait Jenny, demain tu l'auras, ton sacre. »

37.

Dans l'univers manouche, le pouvoir ne se partage pas. Django ne pouvait se résoudre à jouer pour quelqu'un d'autre, à être l'invité. Django était le daron. Il vous conviait à sa table. Il vous faisait une place dans son orchestre. Aux cartes, c'était lui qui distribuait. Au billard, il se considérait, en toutes choses, supérieur. Si l'on remontait à ses débuts, au concert zéro, à La Chaumière ou à La Java, alors qu'il n'avait que douze ans, Django était déjà celui qui menait la danse, il faisait en sorte que l'attention se porte sur sa pomme, il parasitait les accordéonistes vedettes par ses contre-chants hors de saison, il s'arrangeait pour que les notes tournent autour de lui.

Jenny et Django logeaient au Henry Hudson, un hôtel proche de Broadway. Un nid de *chpouks*, de fantômes, comme ils n'allaient pas tarder à l'apprendre. Les ombres d'Al Capone et de Lucky Luciano hantaient les lieux. Les deux gangsters les plus célèbres des États-Unis y auraient scellé une alliance lors d'une conférence du crime organisée dans les salons du rez-de-chaussée. Vraie ou

fausse, cette histoire plaisait à Django qui faisait
marrer tout le monde en mimant les tics nerveux
du balafré ou les manières suaves du tueur aux
paupières collées. En réalité, il ne jouait pas les
durs, il se prenait vraiment pour Al ou Lucky,
essayant de s'attirer le sang-froid du premier et la
baraka du second en prévision des deux concerts
cruciaux où il se savait attendu au coin du bois.

Le 23 novembre, Django fit un malheur à Carnegie Hall. Le lendemain sa photo apparaissait
dans tous les kiosques. Il était le roi de New York.
Il n'émergea qu'à cinq heures de l'après-midi. Il
faisait déjà presque nuit. Il tendit un journal à
Jenny lui demandant de lui traduire un article
le présentant comme « *a fat and bold man with a
chaplinesque moustache* ».

« Ils te comparent à Charlot. »

Jenny changeait sa fille sur le lit et Django,
l'haleine vineuse, de grands cernes sous les yeux,
jouait avec les petites mains lorsqu'on frappa à
la porte. Tony Adam pénétra dans la pièce, il
sentait le cuir et le tabac, il passait en coup de
vent voir à quoi ressemblait le fruit de ses amours
éclairs. Il souleva l'enfant dans ses bras de joueur
de base-ball pour mieux la contempler tandis que
Django, très discrètement, enfilait son manteau en
poil de chameau (le même que celui du Duke)
et gagnait l'ascenseur.

« Où tu vas ? dit Jenny soudain inquiète.

— Retrouver un ami.

— Et ton concert ?

— Ne t'en fais pas, je bois un verre et je reviens... »

Jenny pensa qu'il s'éclipsait pour les laisser seuls. Plus tard, elle apprendrait que le boxeur Marcel Cerdan se trouvait à New York pour préparer son championnat du monde et que les deux hommes s'étaient donné rendez-vous dans un bar de Manhattan.

Le Bombardier de Casablanca et le rude tzigane. On ne peut qu'imaginer la scène. Django admirait Cerdan, lequel fredonnait par cœur « Les yeux noirs » que lui avait fait découvrir sa femme. Tant de choses les rapprochaient. Mais la première d'entre elles était qu'ils parlaient la même langue, une qualité hautement appréciable en terre étrangère. Du premier coup d'œil, Marcel vit que Django appartenait à la race des battants. Physiquement, le Manouche impressionnait, avec son torse de lutteur de foire, ses épaules larges, le dos s'était bombé au fil des ans, sous le poids des tournées, mais il dégageait toujours la même puissance. Assis au centre de l'orchestre, on aurait dit qu'il avançait comme pour mettre le public dans les cordes... Il avait l'étoffe des champions. Dans la zone, pour survivre, il fallait savoir se servir de ses poings. Avec son frère Joseph, ils avaient participé à des matchs de boxe organisés par des demi-sel, porte d'Italie. Cogne, cogne-moi, lui disait Joseph, allez, vas-y, fends-moi une arcade... Et Django frappait son frère de toutes ses forces pour que ça ait l'air vrai. Si le combat était saignant, on leur jetait la pièce. Ils avaient aussi ramassé des crottes de chien avec de vieilles fourchettes pour les vendre à des mégisseries. Un boisseau de crottes blanches était payé un franc cinquante. Marcel avait démarré au ras du ruisseau à Sidi bel Abbès. Les merdes de clebs, les combats de rue, il n'y a pas meilleure école. Apprendre à se débrouiller. Ravaler sa fierté. Django et Marcel avaient connu très tôt le long chemin qui mène de la chute à la rédemption. La vie les avait mis tant de fois KO. Ils en avaient vu danser, des étoiles. Puis les deux expatriés se mirent à parler de Paris, des bistros de Montmartre, des femmes, ils vidèrent leur verre, en commandèrent d'autres.

« Cette fois c'est pour moi.

— Ah ! Non, tu plaisantes. Garçon, la même chose ! »

Ils descendirent un paquet de gauloises en deux heures. Il y eut des silences aussi, remplis à ras bord de nostalgie. En exil à New York, dans ce bar cosy, ils se tenaient chaud, ils réagissaient pareillement aux mêmes choses...

Et Piaf, il en pensait quoi Django de la Môme ?

« Tu sais qu'on a débuté dans le même cabaret, au Tourbillon, rue de Tanger. Mais pourquoi tu me demandes ça ?

— Je sais pas, dit Marcel. Sa voix me tourneboule.

— T'es marié ?

— Avec Marinette. On a deux fils. Ils me manquent. Trois heures sans les voir et je deviens fou, j'ai envie de frapper les becs de gaz... »

Django, lui, c'était pareil avec Naguine et Babik, il était paumé sans eux.

« Pourquoi ils t'ont pas accompagné ?

— Sais pas. Plus ça va, moins je sais ce que je suis venu faire ici...

— T'es venu pour jouer et moi pour boxer. L'Amérique, c'est tout de même pas rien, une victoire ici ça vous classe un homme, c'est ici que débutent les légendes... Au fait, t'avais pas un concert...

— Attends, frère, j'en viens du Carnegie. Hier soir, je leur en ai donné pour leur argent. Ils ont dit que j'étais le nouveau Charlot, mais tu vois, Marcel, là, ce soir, j'ai plus trop envie de faire le clown, ce sera forcément moins bon, et puis Duke n'a pas besoin de moi pour briller au firmament et moi j'ai pas besoin de Duke et le firmament je m'en fous... »

Il commençait à être bien imbibé, l'ami Django, et Marcel aussi.

« Patron, deux grands verres d'eau et passez-nous nos manteaux, on a un rencard avec l'Histoire. »

Mais Django ne l'entendait pas de cette oreille, laquelle sifflait déjà de toutes les vilenies dont on allait l'agonir sous peu.

« Tu sais, Marcel... En arrivant à Paris, les Américains n'avaient qu'un mot à la bouche : *Where is Django ?* À présent qu'ils m'ont vu, c'est : *Where is Stéphane ?* Ils en sont restés au quintette d'avant guerre. Note, ils ont peut-être raison. Avec Grappelli, on se serait bien amusés ici... Mais moi, tu comprends, je veux du neuf... l'odeur de naphtaline me saoule et m'endort...

— Ben va falloir dégriser et vite si tu veux pas attirer le malheur. »

Marcel poussa Django à se rendre au concert, il devait le faire parce que ces gars-là – les gars de l'Union – étaient tout sauf des rigolos. Il avait signé un engagement avec le syndicat des musiciens et, ici, on ne plaisantait pas avec les contrats.

« On est à New York, mon pote, et à New York, on a la gâchette facile... Crois pas que tu vas faire la loi, tu n'es pas Al Capone, des types comme nous, avec la peau basanée, des étrangers, on les tolère à peine, alors si tu leur fais des entourloupes, tu peux t'apprêter à coucher à l'Hudson River, tu sais l'hôtel avec vue sous la mer, les deux jambes ficelées à un gros parpaing... »

Marcel aida Django à enfiler sa peau de chameau, il héla un taxi et y fourra de force le guitariste rebelle qui tenait à peine sur ses jambes...

Le taxi se perdit dans Manhattan, Django qui parlait l'anglais comme une vache espagnole n'arrivait pas à prononcer Carnegie Hall.

Mais il était déjà trop tard, le rideau était levé et l'orchestre avait commencé sans lui. Duke fit même une annonce en précisant que Django ne jouerait pas ce soir, il s'était foulé la cheville. Pendant ce temps la calèche de messire Reinhardt fonçait à travers la jungle d'asphalte. Lorsque Django arriva enfin à bon port, la grand-messe était presque dite. Il n'avait pas de guitare. On lui en procura une, une enclume qui n'avait aucun rendement au micro. À minuit moins le quart, Django surgit sur scène, il n'avait pas eu le temps de s'accorder. Le Duke fut pris de court mais, brillant funambule, il s'adapta. Ensemble, ils bricolèrent quelques morceaux. Le public d'abord hilare, en voyant l'homme aux trois doigts et à la jambe cassée débouler avec sa grosse guimbarde, se laissa séduire par le brio des deux hommes qu'ils bissèrent. Mais la critique fut métallique et cet épisode tragi-comique contribua pour une grande part à l'échec de sa tournée aux USA.

Comme raison à son phénoménal retard, Django n'invoqua pas Cerdan. Il dit qu'il s'était égaré dans Central Park, avait rencontré des *homeless* qui pêchaient des grenouilles dans le bassin du réservoir, s'était intéressé à leur technique, n'avait pas vu passer l'heure. Vagabond jusqu'au bout de la nuit. L'étiquette de Charlot n'allait plus le lâcher. Mais, en son for intérieur, qu'en était-il vraiment ? L'affaire avait tout de l'acte manqué. Il n'avait pas envie de faire d'efforts pour draguer une nana assaillie de princes charmants. Elle avait Armstrong, Monk, Charlie Parker, Gillespie, Duke, la Miss America, et ce n'était pas un Blanc européen, infirme et métèque de surcroît, qui allait la faire grimper aux rideaux. Il regagna son hôtel avec la ferme intention de retourner à ses cannes à pêche.

Django toutefois ne pouvait pas quitter New York si facilement, il avait signé pour plusieurs semaines avec le Café Society Uptown, 58th Street. Edmund Hall dirigeait l'orchestre. C'est Jean Sablon qui lui avait mis le pied à l'étrier. Jenny le supplia de mettre un peu d'eau dans son vin.

« Tiens, tu sais quoi, on va faire les magasins. Ça te changera les idées. »

Django était toujours partant pour ce genre de goguette. Il s'acheta trois magnifiques costumes flashy et des chaussures bleues à reflets de lune, l'ensemble était d'un effet incroyable au point qu'on le surnomma « Mister Moon ».

Le soir de la première au Café Society, le Tout-New York du showbiz avait pris place dans la grande salle enfumée au mobilier Art déco. La scène si semblable à un ring aurait plu à Cerdan, il ne manquait que le seau d'eau, la grosse éponge vinaigrée et le sac de sciure. Mister Moon releva le gant en beauté et conquit la foule par sa maestria. Après le spectacle, Jean Sablon voulut le présenter aux personnalités et aux musiciens venus en masse l'applaudir. Le grand Paul Whiteman était au premier rang. Il avait frémi d'extase. Saisi d'un trac irrépressible, Django refusa de quitter sa loge. Cette attitude lui fit beaucoup de tort. Sa timidité passa pour de l'arrogance... Django Reinhardt, l'homme qui snobe le plus grand pays du monde. Mister Moon a perdu la boule. Qu'il retourne d'où il vient ce bohémien ! Tant mieux puisqu'il n'avait qu'une envie : revoir Paname.

Sablon et Cerdan le retinrent par les bretelles.

Il avait signé et, s'il ne voulait pas terminer sa triste épopée les doigts écrasés à coups de marteau, il devait honorer son contrat au Cafe Society Uptown. On ne plaisantait pas avec l'Union, combien de fois faudrait-il le lui répéter.

Son concert foireux à Carnegie, on le lui fit payer cash en le faisant passer en attraction. Il n'en avait plus rien à cirer, de toute façon... Sa liberté ne connaissait pas de limites. Il était même prêt à y mettre des rallonges si tant est qu'on l'y incitât. Il fit grincer des dents à la direction... Il arrivait en retard, il refusait les *bis* et quand on lui en faisait la remarque, il brandissait son contrat.

« Montrez-moi où c'est spécifié que je suis tenu d'arriver à telle heure et que je dois répondre aux *bis* ! Nulle part... Et je n'ai pas besoin de savoir lire pour le savoir. Donc, j'arrive quand je veux, et je me casse si j'en ai envie. Il est seulement écrit quatre solos par nuit, pas un de plus, pas un de moins et la nuit c'est vaste, surtout en hiver... Ne venez pas m'apprendre mon métier parce que voilà plus de trente ans que je marne sur le tabouret, le tabouret est une île, la sueur a fait une mer tout autour et, quand je joue, plus rien ne m'atteint... »

Il continua bon an mal an à honorer son contrat, exécutant ses quatre solos syndicaux sur une guitare électrique américaine qui était loin de mettre en valeur la rugosité voluptueuse de son jeu. Les autochtones voulaient du spectacle et même du spectaculaire... Django avait passé l'âge des pirouettes. Il était passablement revenu de ses illusions à propos de cette Amérique qui le faisait rêver gamin. Charlie Delaunay finit par lui ramener sa bonne vieille guitare *made in* France. Django était heureux comme un sourd qui recouvre l'ouïe :

« Mon vieux, quand ils vont m'entendre, ils vont tous vouloir jouer sur ma Selmac ! C'est dingue comme elle rend, ce n'est pas comme leur moulin à caoua ! »

Le public le rappelait chaque soir, mais il refusait de leur donner du rabe, à cette bande de coyotes. Il se fit mal voir. Un peu plus, un peu moins...

Quand il ne faisait pas le singe en smoking, il demeurait cloîtré à l'Henry Hudson. Sa suite ne tarda pas à se remplir d'amis venus tailler une bavette avec lui. Ça tenait de la cabine de bateau des Marx Brothers : il y avait toujours plus de monde que l'espace ne pouvait en contenir. Il fallait tout de même montrer patte blanche, car Django demeurait un sauvage, un écorché vif. Isolé, déplacé, séparé de sa femme et de son fils, il se raccrochait aux Français de New York, une petite colonie gravitant autour de Jean Sablon qui chantait alors au Versailles. Le 6 décembre 1946, ils allèrent soutenir Marcel Cerdan opposé à Georgie Abrams au Madison Square Garden.

Après le combat en dix rounds, Marcel, vainqueur aux points mais salement amoché, traîna avec Django jusqu'au petit jour. Jenny les surprit vers cinq heures du matin aux abords de Times Square, affalés sur un banc, contemplant mélancoliquement une canalisation éventrée qui leur rappelait Pigalle et son joli jet d'eau.

Elle s'était fait un ami et un confident en la personne de Jean Sablon. Tous deux partageaient la même perplexité au sujet de Django. Aux USA, pays de la liberté, paradoxalement il y avait des règles plus strictes qu'en France et inconciliables avec la nature débridée du Manouche... Ils se faisaient du souci pour lui et ils avaient raison.

Django était en roue libre. « Merde à moi, merde à moi, merde à moi », il aurait pu reprendre à son compte la formule de Rimbaud. Il ne voulait plus entendre parler de musique. Seule la peinture le tenait debout. Il buvait des coups avec des chanteuses style cow-girls qui ne parlaient pas un mot de français, ensuite il les entraînait dans sa chambre d'hôtel, leur demandait de se déloquer et les peignait nues assises sur le bord du lit.

Une nuit, il pouvait être quatre heures du matin, Sablon dormait à poings fermés dans les bras de son petit ami lorsque le téléphone sonna. C'était Django.

« Ça ne va pas du tout, mon frère !

— Qu'est-ce qui t'arrive ? »

Sablon bien sûr était très inquiet…

« Je suis en train de peindre une fille et je n'arrive pas à faire les plis…

— Elle a des plis, ta nana ?

— Non, pas elle, les draps du lit.

— Couche-toi, tu verras ça demain… »

Souffrant de ségrégation, de cette morale puritaine et xénophobe qui l'empêchait de fréquenter des femmes en chinchillas, Django les peignait, ces inaccessibles étoiles, en s'inspirant de filles ramassées sur le trottoir.

On lui fit miroiter un engagement mirifique en Californie, à Hollywood. L'enfant pauvre sevré de nanars, qui rêvait d'épouser l'actrice Dorothy Lamour s'accrocha à cette ultime chimère. Mais les jours passaient et, ne voyant rien venir, Django se lassa et décida de rentrer au bercail sans demander son reste.

38.

Django arriva à Paris le 13 février 1947. Le 6 mars, il débuta au Bœuf sur le toit d'abord avec un grand orchestre recruté un peu de bric et de broc, puis avec une formation de six musiciens.

De passage pour régler des affaires personnelles, Grappelli étudia avec Delaunay les possibilités de reconstituer l'ancien quintette à cordes, sans se faire beaucoup d'illusions. Delaunay ne voulait entendre parler que des morceaux d'avant guerre et Grappe poussait dans le même sens que Django : être à l'avant-garde ou nulle part. Delaunay avait essayé de convaincre les responsables des firmes, il s'était heurté à un refus catégorique. « Restez vous-même, lui conseillait-on. Dès que le succès frappe à la porte d'un artiste, celui-ci ne doit pas chercher à faire autre chose que ce que le public attend de lui. Vous avez une belle image. Soignez-la au lieu de vouloir la casser. Ce que vous perdrez en libre arbitre, vous le récupérerez en dollars, livres, yens, pesos... »

À cette époque, Django était sollicité par Marcel Carné pour composer la musique de son nouveau film *La Fleur de l'âge* avec Anouk Aimée, Serge Reggiani, sur le bagne d'enfants de Belle-Île-en-Mer. Scénario de son ami Jacques Prévert. Mais le film ne fut jamais tourné pour raisons politiques. Sujet trop sensible. Nouveau revers pour Django. Après Le Bœuf sur le toit, il partit pour une nouvelle tournée en Belgique. Il lui suffisait de revoir la place de Brouckère pour renaître. Il avait reconstitué son quintette de 1941 avec les vieux de la vieille : Hubert Rostaing, Emmanuel Soudieux, Eugène Vées et Pierre Fouad.

« Mon frère, dit-il à Rostaing, je veux plus qu'on se dispute pour des *bicraves*, du business. Je te donne dix mille francs par jour. »

Mais, au moment du règlement, il ne se souvenait plus d'avoir dit ça. De toute façon, l'organisateur, une planche pourrie, s'était tiré avec la caisse. Rostaing pensa que Django le chambrait. C'était pourtant la vérité. Ils en rigolèrent et reprirent leur vie de Pieds nickelés.

Un soir, à l'hôtel, à Gand, Fouad découvrit un cafard dans sa salle de bains. Il alerta aussitôt la compagnie.

« Faisez gaffe, c'est un vrai cafardaum ici. »

L'œil de Django frisa.

« Sans blagues. »

Ninine (Eugène Vées) commença à baliser.

« Quésaco ? C'est dangereux ?

— *Kobépi*, encore pire, lui répondit Django. C'est la plus vilaine bestiole que le bon Dieu ait créée. Il y en avait plein aux USA. Tu sais comment elle procédait là-bas. Elle grimpait le long des rideaux jusqu'au plafond, elle attendait que tu roupilles et, crac, elle se laissait tomber dans ton bec, elle rentrait dans ton estomac et elle bouffait tout ton repas ! On est foutu, surtout toi, Ninine qui dort la bouche ouverte...

— Le nœud du problème est de savoir si on a affaire à des cafards américains ou belges, dit Fouad en clignant de l'œil.

— Ce sera la roulette russe... », dit Rostaing.

Ninine ne ferma pas l'œil de la nuit.

Le lendemain, au concert, il joua au radar... Django réveilla tout le monde en improvisant *Cafard Blues*, la danse du cafard.

La petite Dinah fit ses premiers pas sur les pavés de Bruxelles. Babik était là lui aussi qui ne tenait pas en place... Entre deux concerts, Django s'amusait avec les gosses. Il leur apprenait des mots : *blouma*, la fleur, *chirklo*, l'oiseau.

À Babik qui lui demandait pourquoi Bruxelles s'appelait Bruxelles, il répondit : « Parce que c'est la plus bruxelloise des villes ! »

Jenny avait retrouvé le vrai Django, celui qu'elle aimait. Elle séjourna quelques jours à Blankenberge, dans l'appartement de Maggie. L'endroit avait besoin d'être aéré.

Avec Dinah, elles passaient toutes leurs journées sur la plage. Elles creusaient des tunnels, et ce que préférait la petite, c'était quand leurs doigts se rejoignaient sous le sable. Une vague roulait vers elles, vite elles couraient à reculons en riant aux éclats. Tout ce que Jenny n'avait pas fait avec sa mère, elle le faisait avec sa fille. Le soir, elles achetaient de la friture et des gaufres aux marchands ambulants et elles traînaient sur le port longtemps, longtemps.

Après cette escapade, le quintette enregistra une longue série de morceaux pour l'émission d'Anne-Marie Duverney « Surprise-partie » de la Radiodiffusion-télévision française.

À l'automne 1947, Stéphane Grappelli vint à Paris à l'occasion d'une série de concerts exceptionnels du quintette à cordes reconstitué à la salle Pleyel puis à l'ABC. Django n'avait pas joué aussi bien en public depuis des années. Pour Jenny, ce fut un événement car elle ne l'avait jamais entendu avec Grappelli et le quintette d'origine, celui que sa mère admirait tant. Pourtant, à la fin d'un concert, Django lui confia qu'il n'était pas totalement satisfait. Les notes n'accrochaient plus comme avant, elles étaient, disait-il, comme de la neige qui fond au contact du sol. Et puis il ne ressentait plus la même flamme, le même désir de créer, ni le même amusement qu'autrefois…

Django venait d'emménager dans un pittoresque appartement 32, boulevard de Clichy, au-dessus du Clair de lune. Il avait transformé la pièce principale en atelier d'artiste. Interdiction de le déranger. Surtout si c'était pour lui parler musique. Il trouvait dans la peinture des préoccupations esthétiques autrement passionnantes. Il peignait comme il jouait, en trompe l'œil, avec ce que Jean Cocteau appelait son « malgré-lui-de-sauvage » : des seins déguisés en poires ou en cerises noires, des vulves dissimulées dans des oursins prêts à être dégustés, des chevelures ophé-liennes glissant au fil de l'eau. Son fils grandissait et Django lui vouait un amour démesuré... Il le traînait partout avec lui et lui transmettait ses vices. Au café, il confiait à La Plume :

« Tu sais, mon fils regarde déjà les femmes. C'est un lion. Il aime surtout leurs jambes. Ce sera un type formidable. Tu vois, cette cravate, c'est Babik qui l'a chapardée ! Même moi, je n'y ai vu que du feu ! À son âge, je t'assure, j'étais plus *malapatte* ! »

Mais Babik le magnifique était aussi témoin de scènes terribles. Son père rentrait ivre ou bien se faisait plumer au jeu, comme ce jour à l'académie de billard de l'avenue Wagram où Django perdit trois cent mille francs en un après-midi...

« C'est rien, *tikno*, mon petit, un bon joueur doit savoir perdre... pour rejouer ! »

Après le ratage de sa tournée américaine, Django n'était plus le même homme. Il jouait par routine pure et ceux qui le connaissaient sentaient qu'il n'avait plus la moelle de ses débuts. Il se projetait dans sa descendance : fils, neveux, petits cousins qui tous cherchaient à le copier. Le temps n'était pourtant pas venu de passer la main. Les engagements pleuvaient, on les réclamait, lui et Grappelli. Festival de Nice. Puis l'Angleterre, l'Italie.

« Tu sais quoi, Chattoune, Grappe et moi on est devenus comme Footit et Chocolat qui jouaient dans le temps au bar du Reynolds, rue Royale. Mais t'as pas connu ça, toi ! Ils se tartinaient la gueule avec du cirage pour faire croire qu'ils venaient de Louisiane. »

Janvier 1949, Django Reinhardt et Stéphane Grappelli accompagnés de trois musiciens italiens jouèrent pendant plus de trois mois à la Rupe Tarpea de Rome, Via Veneto. Un cabaret chic qui faisait restaurant côté cour et dancing côté jardin. Le quintette se produisait d'abord sous la tonnelle puis pendant la pause dans la trattoria. Django était annoncé comme le « *Three fingers light ring* ». La Rupe affichait complet tous les soirs. Leur contrat rempli, les deux hommes se séparaient. Stéphane participait à des soirées mondaines dans des palais au bord du Tibre. Django s'empiffrait de lasagnes et terminait ses nuits au tripot.

39.

De retour à Paris, Django, pour la première fois depuis bien longtemps, se retrouva sans travail. Il décida de raccrocher la guitare. Officiellement, il estimait avoir fait le tour de la question. Au fond de lui, il était profondément déçu par la défection d'un public dont il était l'idole quelques années plus tôt. Il approchait de la quarantaine et appartenait à la préhistoire...

En fait, depuis la Libération, le monde du jazz avait encore évolué. À Saint-Germain-des-Prés, de jeunes rats de cave avaient pris effrontément la relève : Claude Luter au Lorientais, dans les soussols de l'Hôtel des Carmes, Boris Vian au Tabou – l'antre de l'existentialisme – rue Dauphine. En juillet 1948, Vian créa sa propre boîte, le Club Saint-Germain, rue Saint-Benoît. Les plus grands noms du jazz y défilaient : Bird, Kennie Clarke, Count Basie, Erroll Garner et bien sûr Dizzy Gillespie, le pape du be-bop que Django était d'ailleurs le premier à avoir salué comme la musique du futur...

Pourquoi restait-il à l'écart de la fête ? À quoi attribuer cette autolimitation de l'art ? Toujours son fichu orgueil atavique – les Manouches dominent, les autres s'inclinent – ou quelques chromosomes slaves s'étaient-ils glissés dans son ADN tzigane ? Les poètes russes n'écrivent pas pour faire beau. Ils écrivent parce qu'ils ont quelque chose à dire. Le jour où ils n'ont plus rien à dire, ils s'en vont. Django ne connaissait ni Pouchkine ni Lermontov, mais il partageait sans doute le même absolu.

Un événement allait accentuer cet irrésistible glissement vers la sortie.

Dans la nuit du 27 au 28 octobre 1949, son pote Marcel Cerdan traversait l'Atlantique pour aller prendre sa revanche sur Jack LaMotta au Madison Square Garden. Il s'écrasa en avion dans l'archipel des Açores.

Django vendit son appartement du boulevard de Clichy et s'acheta une grosse voiture américaine, une Lincoln semblable à celle que conduit Louis de Funès dans le film de Robert Dhéry. Il y attela une remorque bricolée maison et reprit la route. Mais la voiture coula une bielle à hauteur du Bourget. Django décida d'y établir son campement et, du jour au lendemain, il disparut du circuit.

Tout à fait par hasard, La Plume le croisa un après-midi du printemps 1950, sur le trottoir des Galeries Lafayette. Il le dépassa en le prenant pour un clodo puis il se ravisa et revint sur ses pas.

C'était bien Django mais dans un si piteux état que son ancien scribe en fut bouleversé.

« Mon vieux Django, qu'est-ce que tu fais là ?
— Rien.
— Tu ne travailles pas ?
— Non !
— Pourquoi ? »

Pour toute réponse, Django ouvrit la bouche. Il lui manquait toutes les dents de devant.

« Mais il faut te faire rafistoler la gueule, mon pauvre vieux. Tu ne peux pas rester comme ça !
— Oui, mon frère, mais j'ai trop la pétoche ! »

La Plume téléphona à son dentiste et y traîna Django de force. Django voulut bien se laisser soigner à condition qu'on l'endorme totalement. L'opération faillit tourner au drame. Il fit une fausse route et avala un caillot de sang qui lui obstrua le larynx. Son visage se mit à bleuir. En aspirant, on parvint à éviter l'asphyxie.

Quelques jours plus tard, Django portait un superbe appareil. De quoi croquer la vie à pleines dents !

Après l'incendie de la roulotte et l'évasion en Suisse qui avait bien failli finir au fond d'une chambre à gaz, c'était la troisième fois qu'il passait au travers. Un proverbe manouche disait : « Il n'y a que trois barreaux à l'échelle de la chance. »

À cette époque, Jenny et Dinah habitaient un petit deux pièces derrière les arènes de Lutèce. Jean Sablon avait besoin d'une secrétaire. Jenny emprunta une machine à écrire et toute seule, à l'aide d'une méthode, elle apprit la dactylographie. En moins d'un mois, au prix de nuits entières passées à lutter avec les touches, elle atteignit soixante-dix mots à la minute sans fausse note, noircissant des pages entières de poèmes d'Émile Verhaeren. Ainsi entra-t-elle au service de Jean.

Django était fasciné par ce nouvel instrument.

« Comment fais-tu pour taper si vite, surtout sans regarder le clavier ?

— Et toi, comment fais-tu pour trouver tes notes ? »

Django prit sa guitare et composa « Olympia » en s'appuyant sur le staccato de la machine à écrire.

« J'aimerais tant écrire un livre sur toi, dit Jenny. Un livre où tu dirais Je.

— Comme si c'était moi l'écrivain ?

— Oui.

— Je préfère la peinture.

— Tu pourrais donner ton point de vue. Tout le monde parle à ta place.

— Laisse-les dire

— Ils ne te connaissent pas. Moi si. Je sais pourquoi tu n'es pas heureux.

— Je ne suis pas heureux ?

— Non, parce qu'on t'empêche d'être ce que tu es et de faire ce que tu aimes. Tu dois te cacher pour peindre et pour composer.

— C'est mieux comme ça.

— Je pense que tu as encore plein de poésie en toi et que…

— La poésie, c'est quoi ce mot-là ? »

Jean et Jenny se démenèrent pour remettre Django en selle. Ils envoyaient des lettres, donnaient des coups de fil, couraient les agences. Mais le milieu était réticent. Django ne faisait plus recette.

« Laisse tomber, Chattoune, de toute façon je n'ai plus envie ! »

Ils parvinrent tout de même à décrocher un engagement d'un mois au Pavillon de l'Élysée. La clientèle très collet monté, d'une froideur de banquise, n'applaudissait pas. Django restait fataliste. C'était sa faute, c'est toujours la faute de l'artiste quand ça foire. Le public est bon juge. Sablon, piqué au vif, insista. Il fallait se décarcasser. Il avait trouvé un bon argument pour aiguillonner Django :

« Si tu ne le fais pas pour toi, fais-le pour ton fils. Ce môme doit savoir qui est son père. »

Jenny poussait dans le même sens. Sa fille allait avoir cinq ans. Il fallait voir comme elle dansait lors des réunions de famille au Bourget. Pour elle aussi, c'était important. Django reprit donc le mors aux dents. Le crépuscule du dieu du jazz n'était pas encore arrivé.

40.

La saison estivale se passa au Casanova du Touquet. À l'automne, ils entreprirent une tournée en province en commençant par le sud-est avec Villeurbanne, Grenoble et la Côte d'Azur. Ça ne marchait pas si mal, quoique pas aussi bien qu'avant. De plus en plus, Django se faisait l'effet d'un *chpouck* venu hanter les lieux de ses anciens exploits.

Au printemps 1950, il était de retour à Rome pour se produire à l'Open Gate, le fameux cabaret des milliardaires romains gagnés par le nihilisme (ceux que Fellini dépeindrait dans *La Dolce Vita*). Personne ne les écoutait. Sans doute était-ce une erreur de faire jouer l'orchestre pendant le dîner. Django ne cherchait aucune excuse. Il n'y a pas si longtemps, il aurait fait swinguer les gisants dans les cimetières.

Django ne se laissa pas entamer par l'insuccès, il était à Rome, pourquoi ne pas profiter de la vie.

Un soir, ils allèrent boire un verre au café Greco, le rendez-vous de toutes les célébrités. Le patron (qui l'avait pris pour l'acteur Toto) lui demanda de signer le livre d'or. Django dessina une roulotte... avec des corbeaux autour, clin d'œil à son lieu de naissance... Il raconta à Babik et Dinah :

« À Liberchies, qu'est-ce qu'on en chie ! C'est *emprès* Charleroi, au milieu des terrils, faut le voir pour le croire, un endroit vraiment moche et plein de criminels... Des gens qui n'ont connu que la misère, alors c'est normal qu'ils chapardent et qu'ils tuent, je ne dis pas que c'est bien mais faut voir comme on les traite... Ceux qui s'en tirent sont bien malins ou bien chanceux, mais la plupart se sont taillé un costard dans le jute du malheur et ils ont tellement l'habitude que ça les démange plus... »

De retour à Paris, Benny Goodman qui se produisait au Palais de Chaillot proposa à Django de venir donner un concert avec lui. Il était question aussi d'une nouvelle tentative en Amérique. Il ne fallait jamais rester sur un échec. Pourtant, il ne vint pas au Palais de Chaillot et coupa les ponts avec tout ce qui avait trait à la musique. Il déserta Paris.

Le socle sur lequel il avait fondé sa carrière se fendillait. Ce n'était plus le même allant, il jouait sur sa lancée, de manière mécanique, comme le petit automate de boîte à musique... Lorsqu'on a un certain nombre d'heures de vol au compteur, tous les cabarets se confondent, rien ne ressemble plus à un palace qu'un autre palace, un cercle de jeu à un autre cercle de jeu... Il était dans la lassitude. Pas l'ennui. L'ennui, il en avait fait une arme. Mais la lassitude, cette lassitude mallarméenne fait que toutes les cigarettes ont le même goût, puis plus de goût du tout, qu'on ne tire plus de joie de rien, même pas d'un jam réussi ou d'une agape entre cousins. La musique – SA musique – lui faisait l'effet d'un chewing-gum trop longtemps mâchonné et qui vous colle à la godasse... En revanche, dans d'autres domaines, comme la peinture, il éprouvait encore des sensations, ce que le rapsode n'arrivait plus à retrouver, le peintre ou plutôt le barbouilleur (terme dont il s'affublait volontiers) allait le chercher avec une frénésie qui caractérisait ses débuts sur la scène musicale... Il peignait avec rage les femmes qu'il ne pouvait pas baiser et, avec la même rage, il dilapidait des fortunes sur les tapis verts, jouant pour perdre et non par recherche d'adrénaline, jouant pour se purger d'une mauvaise bile... La seule activité qui lui apportait de l'apaisement, c'était la pêche à la mouche, il en avait fait son temple bouddhique, son jardin zen.

« T'as quel âge, papa ?
— Quatre et deux, mon fils.
— C'est vieux ?
— Ça commence à faire.
— À mon âge, tu faisais quoi ?
— Je jouais.
— À quoi ?
— Aux cartes, au billard, à l'Olympia.
— Tu gagnais beaucoup d'argent ?
— J'en faisais gagner à d'autres.
— Et maintenant tu joues plus ?

— Maintenant, il est tard, *tikno*. Faut qu'on rentre. »

On se mit à chuchoter dans les milieux autorisés qu'il avait remisé sa guitare au fond de sa roulotte et qu'il n'y toucherait plus. Charlie, Jean, Jenny, tous ceux qui l'aimaient, étaient inquiets de cette renonciation. Quarante-deux ans. Un peu tôt pour rendre les armes. La Plume voulut le débaucher pour une émission de radio. Il enfourcha sa motocyclette et fonça à la rencontre du semi-retraité qui bivouaquait toujours dans un camp rom à côté du Bourget. Négros vivait dans une vieille caravane cabossée. Assise sur un pliant, elle fumait la pipe, les pieds dans une bassine d'eau. Autour d'elle, des gosses dansaient au rythme des guitares. Django se trouvait dans un hangar voisin occupé à construire de ses mains une nouvelle roulotte. Il sciait des planches à l'égoïne, les rabotait sans l'aide d'un niveau, au jugé. À quatre pattes, sous l'établi, Babik et Dinah s'amusaient avec les copeaux. Django interrompit sa menuiserie et l'on se mit à parler de la pluie et du beau temps. Il ne fut pas question des arrangements. Or l'émission avait lieu l'après-midi même. Django sortit deux, trois billets de sa salopette et il chargea sa femme d'aller acheter volailles et pinard...

« Tu restes grailler un morceau. »

Ce n'était pas une invitation mais un ordre. On passa à table, le repas traîna en longueur, Django dévorait comme un ogre, on continua à parler de tout sauf de musique. Ou alors pour s'en moquer :

« À quoi sert une vache ? À faire du lait et du steak. L'artiste c'est un peu pareil, non ? D'abord il fait son beurre et ensuite il fait du lard ! »

Finalement et parce que La Plume insistait, vers trois heures et demie, Django alla décrocher sa guitare. Il n'y avait pas touché depuis des lustres. La bourre d'araignée pendait du manche et les cordes étaient oxydées. La Plume eut à peine le temps de griffonner les principales lignes mélodiques de « Double Whisky » que lui indiquait Django. Heureusement qu'ils avaient l'habitude de travailler ensemble. En retard pour la répétition de l'émission, il quitta la roulotte précipitamment en donnant l'adresse du studio à Django et en lui recommandant de ne pas venir après cinq heures. La Plume sauta sur sa bécane et mit les gaz. Il donna les indications à l'arrangeur qui s'impatientait dans la cabine de son. Django débarqua, à six heures du soir, bouffi, mal rasé, chaussé d'ineffables poulaines et il fallut improviser, mais c'était dans ce genre de circonstances que le Manouche se montrait brillantissime. La musique continuait à lui sortir par tous les pores. Il jouait, avec la même joie primesautière, le même goût pour les déviations, préférant les petites routes escarpées, les chemins des écoliers aux grandes nationales...

Ensuite il regagna sa base du Bourget et personne n'en entendit plus parler jusqu'en février 1951 à l'occasion de la réouverture du Club Saint-Germain.

Django y fit son grand come-back entouré de jeunes musiciens sans la moindre expérience mais fonceurs et passionnés par les nouvelles tendances. Django faisait un peu figure de patriarche. On le sentait là et très loin déjà. Jenny avait le pressentiment qu'il souffrait d'une « fracture » irréparable. Les dernières années avaient été très dures et Django accusait le coup. Durant plusieurs décennies, des années 1930 à l'après-guerre, il avait dominé la scène française. Un règne sans partage. Et puis, il s'était volontairement mis sur la touche et les goûts musicaux avaient complètement changé. Malgré tout, Django gardait sa faculté d'émerveillement et il se sentait heureux parmi ces jeunes gens qui l'invitaient à partager leurs découvertes. Il confia à Pierre Fouad :

« Évidemment ils me font un peu marrer ces p'tits gars qui croient que tout est arrivé et que nous ne sommes que de vieux chevaux bons pour la boucherie. Alors, un jour, j'ai rué dans les brancards, j'ai joué si vite qu'ils n'ont pas pu me suivre. Je leur ai servi des morceaux nouveaux aux harmonies difficiles. Et là encore je les ai cloués. Maintenant ils me respectent. Et tu sais quoi, mon vieux Fouad, ils veulent tous jouer sur ma Selmac... »

Oui, Django prenait du plaisir à jouter avec ces pieds tendres qui l'appelaient Papy en le chambrant gentiment :

« T'as joué avec Jean Sablon et Joséphine Baker ? Ah ! d'accord... Mais c'était en quelle année ? Ah ! quand même ! »

Qu'importait le fossé des générations, il avait trouvé au Club Saint-Germain une nouvelle famille. Il participait à des jam sessions vraiment extraordinaires qui lui rappelaient ses débuts avec le quintette. Django se lâchait alors totalement. Il se permettait de sortir du cadre et les jeunots essayaient de lui emboîter le pas.

« Je pars en danseuse et c'est une joie extrême de voir toute cette bleusaille me coller à la roue ! »

Il leur lançait des défis comme à l'époque du Faucon.

« Laquelle voulez-vous que j'enlève ? Celle-ci ? »

Il enlevait une corde et continuait à jouer comme si de rien n'était.

« En vieillissant, on apprend à se passer de plein de choses, on simplifie, j'ai toujours pensé qu'il y avait trop de cordes à ma guitare... »

Phénoménal Django. Il avait sa façon bien à lui d'interpréter non seulement ses propres compositions mais des morceaux américains qu'ils ne connaissaient pas et auxquels il substituait inconsciemment sa patte incomparable. Ses œuvres « Anouman » ou « Flèche d'or » touchent à l'épure. Mélodies concises et légères, notes évanescentes alors que les photos de l'époque le montrent lourd, empâté, payant toute une vie d'excès.

Il se lia d'amitié avec les frères Fol, Hubert et Raymond, le pianiste Martial Solal et un jeune guitariste plein de fougue, Sacha Distel. Quand il se sentait en phase avec quelqu'un, sans cesser de jouer, il se penchait à son oreille et lui murmurait des idées farfelues, des pensées drolatiques. Et si on essayait ça ! Il le poussait à faire tout le contraire de ce que conseillaient les loups de la finance. Ne pas craindre d'innover, prendre le risque de déplaire, sortir des rails de sécurité.

Au Club Saint-Germain, Jenny put voir un homme heureux, animé du feu sacré de ses jeunes années, de ce besoin de s'exprimer en troussant les convenances mais qui savait aussi que la mode n'était plus au swing tel qu'il le pratiquait sous l'Occupation. Du reste, ses copains d'alors, les Alix Combelle, André Ekyan et autres Grappelli sacrifiaient tous à la musique de variété, plus lucrative.

À bientôt quarante-trois ans Django était-il devenu enfin raisonnable ? Ponctuel, assidu au travail, ne dilapidant plus ses cachets au billard, il avait renoncé à sa roulotte et logeait avec sa famille à l'hôtel Crystal juste en face du cabaret... Il était très fier que Babik, le fils préféré, chatouille les cordes lui aussi et qu'il cherche à l'imiter. Django le faisait monter sur scène pour jouer « The Man I Love ».

Après le spectacle, Django partait en ribote avec ses nouveaux amis. Il roulait dans de grosses guindes américaines, des voitures cigares... qui faisaient figure de pièces de musée. Un soir, les motards les arrêtèrent pour excès de vitesse. Évidemment, Django n'avait pas ses papiers.

« Je ne suis pas Al Capone mais Django Reinhardt ! »

Cette réplique avait déjà servi. Où ? Quand ? Il ne se rappelait plus. Sa vie tournait comme un disque rayé.

L'un des motards avait entendu parler de Django.

« À défaut de papiers, montrez-moi vos doigts ! »

Django le prit très mal. Il refusa d'obtempérer. Jenny lui saisit la main qu'il avait enfouie dans sa poche

« Tenez, voilà, regardez vous-même. Il dit la vérité ! »

Le flic fut convaincu et demanda un autographe. Alors Django se mit à gueuler.

« Arrêtez-moi, mettez-moi les bracelets, menez-moi au gnouf. Le vrai Django Reinhardt finit toujours ses nuits au gnouf ! »

Mais même les flics s'étaient mis à le respecter.

« Vous voyez, je commence vraiment à me faire vieux. »

Django assista à la représentation au Palais de Chaillot d'un ballet d'Yvette Chauviré « Mystère », dont la chorégraphie était basée sur la musique pour cordes, célesta et percussion de Béla Bartók. Profondément bouleversé, Django quitta la salle en proie à une vive émotion. Charlie Delaunay lui expliqua que Bartók était un grand musicien hongrois, mort dans la misère à New York. Il avait répertorié des centaines de musiques populaires tziganes... Il y avait une passerelle entre eux... Les grands musiciens ne meurent pas, ils se succèdent.

41.

Django demanda à Jenny de l'aider à trouver une maison pour ses vieux jours. Seul critère : qu'elle fût située au bord d'une rivière. Ils arpentèrent la campagne francilienne et finirent par dénicher une petite bicoque sans prétention entourée d'un jardin laissé sauvage, sur les bords de la Seine, à Samois. Là, Django coulerait des jours paisibles. Ainsi s'achèverait sa vie de bâton de chaise et de globe-trotter. Qui l'eût cru ? De la part d'un homme qui avait toujours fui le monde des assis et qui déclarait avec superbe : « Mieux vaut ampoules aux pieds que furoncles au derrière ! » ?

Il ne montait à Paris qu'exceptionnellement pour une émission de radio ou un enregistrement. Le reste du temps, il pêchait comme un garde-barrière à la retraite.

Dès le point du jour, chevreuils et sangliers prirent l'habitude de croiser dans la brume ce drôle de promeneur qui traversait leur domaine pour gagner une petite crique où sa barque à fond plat l'attendait cachée parmi les roseaux. Le billard, les femmes, le jazz étaient derrière lui.

Un soir, à la fraîche, alors qu'il rentrait, accompagné de son frère, un voisin lui demanda :

« Alors, ça a bien mordu ?

— Oh ! oui, répondit Django, j'ai ferré un gros poisson ! »

Son hameçon s'était fiché dans l'oreille du pauvre Joseph qui le suivait comme un chien en laisse.

« On s'amuse bien, papa ! s'écriait Babik.

— Oui, mon chéri. »

Difficile de savoir ce que pensait Django au fond de lui-même ? Était-il heureux ? Ni plus ni moins qu'au début de cette histoire lorsqu'il allait à la chasse aux hérissons avec son géniteur dans les marais de Liberchies. Il aimait bien ça, chasser le niglo, mais c'était surtout l'occasion d'être avec ce père démissionnaire. Alors oui, pêcher la truite avec Babik, voilà sans doute ce qui se rapprochait le plus du bonheur. Cela pouvait sembler bien dérisoire, voire pathétique lorsqu'on s'appelait Django Reinhardt et qu'on avait fait swinguer la terre entière. Plus de soixante firmes différentes avaient répandu des millions de disques à travers le monde. Tandis qu'il installait ses leurres dans sa barque, « Nuages », « Mystery Pacific », « Dream of You », « Stockholm » ou « Ménilmontant » passaient dans les juke-boxes du Texas, les salles de danse d'Acapulco, au pied des pyramides d'Égypte ou dans les bordels de Saigon.

Poussé par Naguine qui voyait fondre avec effroi leur bas de laine, il accepta de se produire ici et là encore qu'avec beaucoup de réticence et de fatigue.

En janvier 1953, engagé au Ringside, il fit la rencontre de Norman Granz, le promoteur du Jazz at the Philarmonic. Il enregistra avec lui un disque de longue durée qui devait servir de prélude à la tournée programmée pour l'automne à travers les États-Unis, le Japon et l'Europe. Django laissait dire.

À Bruxelles, le samedi 28 février 1953, Django et son quintette animèrent un bal donné aux Grands Magasins de la Bourse. Le lendemain, dimanche, Dizzy Gillespie donnait un concert au Théâtre Royal des Galeries Saint-Hubert. On voulut faire la surprise à Django. Celui-ci, qui se sentait patraque, commença par refuser l'invitation mais, lorsqu'il apprit de qui elle émanait, il reprit des couleurs.

« Si Dizzy en est, j'en suis. Voilà longtemps que je l'admire, mais nous n'avons jamais vraiment joué ensemble. »

Django, dans une forme époustouflante, stupéfia Dizzy qui, du coup, dut se transcender. Jenny se souvenait notamment de « S'Wonderful » un dialogue guitare-trompette qui dura vingt bonnes minutes. Les deux hommes partageaient la même générosité et, surtout, cette qualité si précieuse en musique : l'humour. Tous les grands compositeurs (Mozart en tête) sont de grands sacripants.

Dans la nuit qui suivit ce concert, Dinah fit sa première crise d'asthme. Django proposa de les emmener dans sa tournée en Suisse. L'air pur des hauts sommets, rien de tel pour soigner les bronches. La Plume les accompagnait.

Ils logeaient tous dans un ancien sanatorium au pied d'une remontée mécanique arrêtée durant la saison estivale. Il gelait le matin et l'après-midi la température dépassait les 30 °C. Quelqu'un (peut-être La Plume) avait eu le malheur de prononcer le mot « marmotte » et Babik tannait son père pour grimper dans la montagne à la rencontre de ces animaux siffleurs. Personne n'avait très envie de crapahuter par cette chaleur caniculaire. Jenny finit par se dévouer. Dinah trépignait pour venir mais Django releva la tête de sa chaise longue et dit :

« Et moi, qui va me garder ? »

Il faisait ses yeux de phoque, comme sur cette photo prise en Norvège où il a la moustache givrée. Ce fut suffisant pour convaincre la fillette de rester.

Django tira un harmonica de sa poche et mâchouilla les premières notes de « Frère Jacques ».

« Un bon appeau à marmottes ! » dit-il en tendant l'instrument à Jenny.

Ils partirent tous les trois : Jenny, La Plume et Babik. Django avait repris sa guitare et jouait « It Was So Beautiful », tandis que la petite troupe attaquait son ascension. Le ciel était bâché, un soleil blanc plombait la terrasse, les chardons grésillaient.

Environ une heure après leur départ, un violent orage éclata. La Plume décida de rebrousser chemin malgré les protestations de Babik. Ils gagnèrent un raccard croisé en montant et s'y abritèrent de la pluie torrentielle. Ils étaient trempés. La Plume contemplait Jenny avec ses longs cheveux mouillés, torsadés. Il voulut la prendre dans ses bras pour la réchauffer. Elle se dégagea et franchit la porte branlante alors que le ciel continuait à craquer.

La Plume marchait derrière en tenant Babik par la main. Jenny courait devant eux sur le sentier caillouteux raviné par la pluie. Elle mit l'harmonica à sa bouche et sentit le goût salé du métal rouillé et de la nicotine que les lèvres de Django y avaient imprimé. Elle disparut dans un virage. Il y eut un énorme fracas, un BRAOUM qui résonna à travers toute la montagne jusqu'au chalet où Naguine et Négros s'évertuaient à calmer l'épouvante de Dinah. La Plume pressa le pas vers l'endroit où la foudre avait frappé.

Jenny venait d'avoir trente-six ans. On part tôt chez les Kuipers.

Comme des années plus tôt lors de la disparition tragique de Maggie, Django ne manifesta aucune réaction. Il était dans sa nature de ne pas contester les décrets du destin.

42.

L'orpheline fut prise en charge par la tribu de Django. Négros lui dit que sa mère était partie dans le royaume des fées. Que tout avait été prévu de longue date... qu'il ne fallait s'étonner de rien. Dinah avait déjà tout d'une petite bohémienne et ce genre de mystères pénétrait bien son entendement. Pour elle, la frontière entre imaginaire et réalité était définitivement brouillée.

Après la disparition de Jenny, la santé de Django se dégrada. Il se plaignait de violents maux de tête et de vertiges. On lui conseilla de voir un toubib et naturellement il n'en fit rien. Trop peur des piqûres ! Quelques jours plus tard, à Bâle, après un concert calamiteux, il avoua à sa femme :

« Je ne sais pas ce que j'ai dans les doigts, je ne peux plus les remuer. »

Et comme Naguine insistait pour qu'il se soigne :

« Non, non, c'est la vieillerie. Y'a pas de médecine pour ça ! »

266

Ils traînaillèrent encore un peu en Suisse. Ils avaient rencontré des Manouches et firent un bout de route avec eux. Chaque fois que la caravane s'arrêtait, Django en profitait pour pêcher avec Babik et Dinah. Il avait toujours des histoires incroyables à leur raconter sur les bals musettes, les fortifs, les dentelles, les vedettes de westerns, tout ça... Ce fut sans doute au cours de l'une de ces balades que Dinah entendit parler pour la première fois de sa grand-mère – la dame du samedi soir avec toutes ses médailles qui pendaient au revers de sa veste. Jenny n'évoquait jamais sa mère. Django sortit des photos. L'une représentait Maggie devant sa fabrique de jouets, une autre la montrait devant l'auberge de Perdtemps où les Allemands l'avaient arrêtée. Personne ne sut qui l'avait dénoncée.

Dinah réclamait sa mère. Django lui montra une photo à bords crénelés prise le jour où Jenny avait jailli sur la scène pour enguirlander cette bande de GI. Les coiffures collaient aux époques : Maggie avait adopté le style garçonne en vogue après la guerre de 1914, Jenny avec ses ondulations vaporeuses était l'incarnation même de la femme glamour des années 1950.

En évoquant ses deux vestales, le divin Django riait tandis qu'une ombre grise s'attardait dans ses yeux.

Puis ils rentrèrent à Samois. Tout le monde était heureux de retrouver la p'tite maison, la campagne, le bord de l'eau.

Il court deux versions à propos de sa fin. L'une vécue, l'autre rêvée. Ce qui correspond tout à fait à son personnage de funambule marchant sur un fil d'acier tendu entre songe et réalité.

Le 16 mai 1953, après une partie de pêche, il fit un détour par l'auberge de Fernand Loisy. Il bavardait gaiement sur la terrasse avec quelques familiers lorsqu'il s'est écroulé. Les gadjé l'ont transporté dans sa maison. C'était un samedi et on eut du mal à trouver un *doctari*. Lorsque celui-ci arriva, Django avait déjà rejoint les fées.

Selon la seconde version, sûrement la plus fiable, Django rentrait de Paris où il avait, la veille, donné un concert au Club Saint-Germain pour un cachet misérable et devant un grand nombre de chaises vides. Il en avait beaucoup souffert. Comme il n'y avait plus de train pour gagner sa campagne, il avait passé la nuit à l'hôtel Crystal à déchiffrer les messages que lui adressait son cœur exténué : maintenant ça suffit, Django, tu en as assez fait. Le lendemain matin, en descendant à la gare de Bois-le-Roi, il n'avait pas trouvé de taxi et avait dû gagner Samois à pied. Le temps était à l'orage. Il avait ôté sa veste et des auréoles se dessinaient sous ses bras tandis qu'il marchait à travers la forêt. À quoi pouvait-il bien penser, lui, le passant tout à coup dépassé, l'éternel partant soudain pressé d'arriver ? Sa vue se brouillait. Il distinguait à peine les arbres printaniers. En arrivant au village, un enfant l'avait reconnu et

lui avait servi de canne blanche pour ie mener
à l'auberge Loisy. Il s'était assis sur les marches
et avait demandé un café avec un nuage de lait.
Levant les yeux vers le ciel de plus en plus mena-
çant, il dit : « Ça va péter ! » et s'écroula.

On le transporta à l'hôpital de Fontainebleau.
Quand son frère et sa mère arrivèrent, un drap
blanc recouvrait le corps du défunt. Seule sa main
gauche dépassait. Elle avait l'air de vouloir saisir
quelque chose : pinceau, guitare ou les doigts de
Naguine, prostrée à son chevet.

43.

Dinah Kuipers avait huit ans le jour de l'enterrement, le 24 mai 1953. Elle déposa trois iris d'eau sur la tombe de Django au petit cimetière de Samois-sur-Seine. Elle ne savait pas que ce mort-là n'allait plus la lâcher. Avant même d'être née, elle avait ses rythmes dans la peau. Son cœur s'était formé à son tempo. Il avait semé dans sa tête des envies de bourlingues.

Elle entra à l'école de cirque, elle apprit à jongler, à danser... Elle passa sa chevelure au brou de noix pour effacer cette blondeur suspecte. Devenue bohémienne jusqu'au bout des ongles, elle fit le pèlerinage aux Saintes-Maries et pria sainte Sara-Kali de ne jamais tomber enceinte.

Elle rallia le camp du Bourget et montra ses progrès à Négros qui perdait la vue et la voix. Pour son seizième anniversaire, la vieille romanichelle la fit pénétrer sous un hangar où dormait une voiture américaine.

« Si elle te plaît, elle est à toi !

— Je n'ai pas encore l'âge de conduire !

270

— On va t'apprendre !

— Et le permis ?

— Ce genre de voiture se conduit sans permis. »

Dinah s'installa au volant.

Un remugle de tabac froid empuantissait l'habitacle. Le cendrier était plein de mégots.

« Ce sont les siens ! dit Négros. C'était sa dernière voiture. Accepte ce cadeau comme s'il venait de lui ! »

L'ancien propriétaire de la Lincoln qui n'avait que trois doigts à la main gauche s'était alors insinué entre elles, bientôt rejoint par les formes ectoplasmiques des deux femmes qui l'avaient le plus adulé et peut-être le mieux compris.

Au début des années 1960, après la mort de Négros, Dinah monta sa propre troupe de spectacle de rues où elle jouait le rôle de Zingarella sur une chorégraphie qu'elle avait elle-même imaginée à partir de ses propres traumas. L'argument tenait en peu de lignes.

La Zingarella était tuée par de féroces soldats.

Elle gisait auprès de sa roulotte entourée d'enfants qui la pleuraient.

Un orage éclatait.

Un zigzag de foudre frappait la jeune femme qui se réveillait et s'animait à la manière d'un automate.

Puis elle se mettait à danser d'abord avec des gestes lents et saccadés puis les mouvements se faisaient plus souples, plus déliés sur une musique de Django Reinhardt.

Elle se mit à pérégriner avec ce spectacle en France et en Belgique. Elle portait des foulards chamarrés, des tennis fluo et des créoles aux oreilles. Elle ne restait jamais deux jours de suite au même endroit. Ce qu'elle préférait, c'étaient les trajets de nuit, toute seule au volant de la Lincoln. Elle roulait encore bien, cette incroyable relique. Elle aimait voir défiler les pictogrammes lumineux des hôtels, les phares blancs des semi-remorques et les panneaux routiers. Un chapelet de buis pendait au rétroviseur. Elle avait calé sur le tableau de bord des photos de sa grand-mère et de sa mère qui avaient tant aimé l'artiste manouche.

Les filles Kuipers de Blankenberge. Trois femmes aux noms de symphonies. Maggie, l'Héroïque. Jenny, la Pathétique. Dinah, la Fantastique.

Un soir du printemps 1964, après une représentation à Namur, elle fit le plein et se mit à tracer en direction du sud, bercée par le tambour des cylindres. Elle avait consulté la carte et, des kilomètres durant, elle conduisit dans une sorte de torpeur, savourant sa prodigieuse disponibilité. Perdue dans ses rêveries, elle se trompa de sortie et erra dans la campagne de Wallonie. Elle crut qu'elle s'était perdue. Elle voulut effectuer un demi-tour et revenir en arrière, vers l'autoroute, mais quelque chose l'en retint. Elle gara la Lincoln sur le bas-côté, éteignit les lanternes, sortit et se planta, l'esprit brouillé et le dos ankylosé, sur la route, contemplant une petite colline qui se dressait devant elle, peut-être un ancien terril que la nature avait recouvert d'une couronne verdoyante. Elle se mit en marche vers ce tertre reboisé. Arrivée au sommet, elle aperçut, à l'arrière-plan, les lumières miroitantes de Charleroi et elle sut qu'elle était arrivée. Là, au pied du calvaire, s'étendait la Mare aux corbeaux. La nuit avait envahi ce triste marigot, mais le ciel au-dessus demeurait lumineux. Un point se déplaçait très haut en laissant une traînée rose mousseuse dans l'azur opalin et elle songea qu'avant de s'écraser, le 15 septembre 1917, le coucou mitrailleur en flammes de son grand-père avait peut-être survolé le campement de Django.

L'auteur tient à remercier son ami Alain Gerber, qui lui a fait découvrir et aimer le jazz.

Que grâces soient rendues à tous ceux qui, sous une forme ou une autre, entretiennent la mémoire de l'artiste manouche et parmi eux à Vincent Bessières, commissaire de la très belle exposition « Django Reinhardt, Swing de Paris » à la Cité de la musique.

Parmi les ouvrages consultés, citons :

Insensiblement (Django), par Alain Gerber, Fayard, 2010

Django Reinhardt, Rythmes futurs, par Alain Antonietto et François Billard, Fayard, 2004

Django, mon frère, par Charles Delaunay, Éric Losfeld éditeur, 1968

Django Reinhardt en Haute-Savoie au cours de l'année 1943, par Jean-Claude Rey

J'ai vécu au pied du Fort-L'Écluse occupé, souvenirs d'une adolescente, 1934-1945, par Christiane Burdeyron-Corbel

« Échos saléviens », *Revue d'histoire locale*, n° 9

Cet ouvrage a été imprimé en France par

BUSSIÈRE

à Saint-Amand-Montrond (Cher)
en novembre 2013

Composé par Nord Compo Multimédia
7, rue de Fives, 59650 Villeneuve-d'Ascq

N° d'édition : 53691/03. – N° d'impression : 2006224.
Dépôt légal : août 2013.